“十二五”国家重点图书出版规划项目

CHINA WETLANDS RESOURCES
Heilongjiang Volume

# 中国湿地资源

## 黑龙江卷

◎ 国家林业局组织编写

中国林業出版社

图书在版编目（CIP）数据

中国湿地资源·黑龙江卷／国家林业局组织编写；王仁春分册主编．－北京：中国林业出版社，2015.12

“十二五”国家重点图书出版规划项目

ISBN 978-7-5038-8278-4

Ⅰ.①中… Ⅱ.①国… ②王… Ⅲ.①湿地资源－研究－黑龙江省 Ⅳ.①P942.078

中国版本图书馆CIP数据核字（2015）第290356号

审图号：黑S（2016）005号

总 策 划：金　旻

策划编辑：徐小英

主要编辑：徐小英　刘香瑞　李　伟
何　鹏　于界芬

美术编辑：赵　芳

出版发行　中国林业出版社（100009　北京西城区刘海胡同7号）
http://lycb.forestry.gov.cn
E-mail:forestbook@163.com　电话：(010)83143515、83143543

设计制作　北京捷艺轩彩印制版有限公司

印刷装订　北京中科印刷有限公司

版　　次　2015年12月第1版

印　　次　2015年12月第1次

开　　本　787mm×1092mm　1/16

字　　数　255千字

印　　张　10

定　　价　80.00元

## 中国湿地资源系列图书
## 编撰工作领导小组

**顾　问：** 陈宜瑜　李文华　刘兴土

**组　长：** 张永利

**副组长：** 马广仁

**成　员：**（按姓氏笔画排序）

王文宇　王忠武　王海洋　韦纯良　邓乃平　邓三龙
兰宏良　刘建武　刘艳玲　刘新池　李　兴　李三原
李永林　来景刚　吴　亚　张宗启　陆月星　陈则生
陈传进　陈俊光　林云举　呼　群　金　旻　金小麒
周光辉　降　初　孟　沙　侯新华　夏春胜　党晓勇
徐济德　奚克路　阎钢军　程中才　雷桂龙　蔡炳华
樊　辉

## 中国湿地资源系列图书
## 编撰工作领导小组办公室

**主　任：** 马广仁

**副主任：** 鲍达明　唐小平　熊智平　马洪兵

**成　员：** 王福田　姬文元　刘　平　闫宏伟　李　忠　田亚玲
王志臣　张阳武　但新球　刘世好　王　侠　徐小英

## 《中国湿地资源·黑龙江卷》
## 编辑委员会



## 《中国湿地资源·黑龙江卷》
## 编写组

**主　　编**：王仁春

**副 主 编**：康铁东　刘新宇

**编 著 者**：叶生欣　白雅溶　刘新宇　安　睿　张　冰　李　楠
焉申堂　程子卿　韩　勤　戴伟男　陈　庆　王子民

**主　　审**：杨克杰

**地图绘制**：叶生欣　张鹏飞

**照片摄影**：杨　楣　徐　义　郝安林　王庆才

# 总　序

湿地是地球表层系统的重要组成部分，是自然界最具生产力的生态系统和人类文明的发祥地之一。在联合国环境规划署（UNEP）委托世界自然保护联盟（IUCN）编制的《世界自然资源保护大纲》中，湿地与森林和海洋一起并称为全球三大生态系统。湿地具有类型多样、分布广泛的特点；湿地更重要的是还具有多种供给、调节、支持与文化服务功能，是人类重要的生存环境和资源资本。湿地与人类生产生活和社会经济发展息息相关。湿地的重要性受到世界各国和国际社会的普遍关注。早在1971 年，国际社会就建立了全球第一个政府间多边环境公约，即《关于特别是作为水禽栖息地的国际重要湿地公约》（简称《湿地公约》）。同时，该公约也是全球最早针对单一生态系统保护的国际公约。1992 年中国加入《湿地公约》，自此我国湿地保护事业进入了新的发展时期。

我国加入《湿地公约》后，在国家林业局设立了专门的湿地保护和履约机构，对内负责组织、协调、指导和监督全国湿地保护工作，对外负责《湿地公约》的履约工作。近年来，中国各级政府在湿地保护方面开展了大量卓有成效的工作，采取了一系列保护和合理利用湿地资源的措施，在湿地保护规划和重点工程建设、财政补贴政策制定实施、法规制度建设、保护体系建设、科研监测、宣传教育和国际合作等方面取得了长足进步。但我国湿地生态系统仍然面临着盲目围垦与改造、污染、水土流失、泥沙淤积、生物资源过度利用等多种因素的破坏和威胁，导致面积减少，生态功能下降，生物多样性丧失。因此，切实保护和合理利用湿地资源，既是保障生态安全和国土安全的当务之急，更是中国实施可持续发展战略势在必行的要务。

开展湿地资源调查，摸清湿地资源家底，把握湿地资源动态，是所有湿地保护工作的基础，也是履行《湿地公约》各项工作的根基。2009 ～ 2013 年，在中央财政的支持下，国家林业局组织开展了第二次全国湿地资源调查工作。在此期间，我有幸作为第二次全国湿地资源调查专家技术委员会的主任委员，和其他专家一起全程参与了此次湿地资源调查的主要技术环节和成果鉴定。

我认为此次调查具有以下几个特点：一是，此次调查的湿地分类、界定标准、调查方法基本与《湿地公约》规定相接轨，使得调查数据符合《湿地公约》的要求，调查成果易于被国际认可，便于国际间的对比和交流。二是，制定了内容全面、方法科学、符合国际标准的统一技术规程《全国湿地资源调查技术规程（试行）》，进行了同标准、同口径的分期分批调查。三是，本次调查利用“3S”技术与现地验证相结合的技术方法，查清了全国范围内（未包括香港、澳门、台湾）8 公顷以上的湿地资源基本情况。四是，湿地调查分为一般调查和重点调查。重点调查包括，国际重要湿地、国家重要湿地、自然保护区（含自然保护小区）和湿地公园内的湿地以及其他特有、分布濒危物种和红树林等具有特殊保护价值的湿地。五是，组织保障有力。国家层面上，成立了第二次全国湿地资源调查领导小组、专家技术委员会、中央技术支撑单位和国家质量检查组；省级层面上，分别成立了湿地调查专职机构，组建了省级专业调查队伍。

需要指出的是，第二次全国湿地资源调查期间，我国湿地保护事业发展迅速。2009 年，中央启动了“湿地生态效益补偿试点”工作；2010 年开始，中央财政设立了湿地保护补助专项资金；2012 年，党的十八大将建设生态文明纳入中国特色社会主义事业“五位一体”总体布局，提出要“扩大森林、湖泊、湿地面积，保护生物多样性”。期间，国家林业局会同相关部门认真实施了《全国湿地保护工程实施规划 (2005 ～ 2010 年 )》和《全国湿地保护工程“十二五”实施规划》。2013 年，国家林业局出台的《推进生态文明建设规划纲要》划定了湿地保护红线，到 2020 年中国湿地面积不少于 8 亿亩。2013 年，国家林业局出台了第一部国家层面的湿地保护部门规章《湿地保护管理规定》。应该说，历时 5 年的湿地资源调查与同期湿地保护事业的发展，是休戚相关，相互促进的。

第二次全国湿地资源调查取得了丰硕成果。在全球范围内，我国率先完成了《湿地公约》倡导的国家湿地资源调查，首次科学、系统地查明了《湿地公约》所定义的我国湿地资源情况。建立了完整的全国湿地资源空间数据库和属性数据库，掌握了近 10 年来湿地资源动态变化情况，建立了稳定的湿地资源调查专业队伍和专家团队，形成了较为完整的湿地资源调查监测技术规范，完成了全国湿地资源总报告、分省报告和多个专题报告，编制了系列成果图。调查成果达到国际先进水平。

党的十八大对建设生态文明作出了全面部署，强调把生态文明建设放在突出地位，融入经济建设、政治建设、文化建设、社会建设各方面和全过程。在全国第二次湿地资源调查成果的基础上，系统编著形成了中国湿地资源系列图书，为新时期我国湿地保护事业奠定了坚实基础。希望本系列图书能够为我国湿地工作者在开展湿地研究、保护与合理利用工作时提供参考和借鉴。

中国科学院院士 陈宜瑜

2015 年 9 月

# 前 言

黑龙江省湿地资源丰富，动植物种类繁多，且地处温带和寒温带气候区，生态条件多样，因此植物区系和植物组成种类较为复杂。大兴安岭北部属东西伯利亚植物区系；大兴安岭南部、小兴安岭、东部山地、三江平原属长白植物区系；松嫩平原属蒙古植物区系。各植物区系成分之间交错混杂，构成了独特的黑龙江省植物区系特征，而且受地势、区域气候多方面影响，各植物区系间的植被类型和植物组成存在着显著差异。黑龙江省内陆湿地类型齐全，且复杂多样，其中既有沼泽湿地、河流湿地，也有湖泊湿地；在沼泽湿地中既有木本湿地、草本湿地，也有藓类湿地；在木本湿地中既有森林沼泽，又有灌木沼泽，尤其是藓类沼泽资源的数量是全国储量最多的省份之一。同时黑龙江省湿地为泥炭形成创造了良好的环境，泥炭储量居全国第二位。黑龙江省江河、湖泊水资源比较丰富，兴凯湖是东亚最大的湖泊之一，还有全国最大的玄武岩堰塞湖——镜泊湖，有被誉为火山博物馆之称的五大连池。黑龙江省是全国湿地面积最大的省份之一，据黑龙江省第二次湿地调查数据统计，全省有天然湿地面积 514.33 万公顷（不包括加格达奇和松岭区），约占省国土面积 11.29%，其中，河流湿地面积 73.35 万公顷，湖泊湿地面积 35.60 万公顷，沼泽湿地面积 386.43 万公顷，人工湿地面积 18.95 万公顷。

在历史无数次变迁中，在岁月的悠悠长河里，黑龙江湿地在净化水质、补充地下水、调蓄洪水等方面发挥巨大作用，也是素有“北国粮仓”之称的三江、松嫩平原两大粮食主产区的生态屏障，全球重要的泥炭地分布区，在减少温室气体排放、遏制全球变暖方面发挥着不可低估的作用。

春风拂绿了万顷苇荡，清澈的河水奔腾不息。广袤无垠的大湿地，为大美龙江增加了特有的生态亮色和厚重的风水底蕴。现全省有陆生野生动物 476 种，其中，兽类 87 种，鸟类 361 种，爬行类 16 种，两栖类 12 种。有东北虎、原麝、驼鹿、丹顶鹤、白头鹤、黑嘴松鸡、白枕鹤等国家重点保护野生动物 83 种。有高等植物 2000 余种。丰富的动植资源使大美龙江更具秀美气韵和生态灵性。

为了把黑龙江省的湿地资源底数摸清，省湿地资源调查工作领导小组的专家们和参与调查的科研人员，历经一年时间，足迹遍布龙江大地，经过艰苦卓绝的努力，全面掌握了全省的湿地资源状况。在国家林业局湿地保护管理中心和国家林业局调查规划院的指导下，在省森工总局野生动物研究所和大兴安岭林业调查规划设计院的配合下，黑龙江省林业厅完成了全省湿地资源调查结果汇总工作，编写了《黑龙江省湿地资源调查报告》，绘制了《黑龙江省湿地资源分布图》。

《中国湿地资源 · 黑龙江卷》是以《黑龙江省湿地资源调查报告》为基础，汇集了黑龙江省湿地资源调查最终成果，充分体现了黑龙江省湿地资源的全貌，是全体参与湿地调查和湿地科学研究人员集体智慧的结晶，是目前唯一能全面展示黑龙江省湿地的工具书，亦是我省开展湿地管理及湿地生态建设的指南。该书的出版标志着我省湿地保护与开发利用方面迈上了新的台阶，对全省各地进一步开展湿地生态建设起到积极的推动作用，也昭示着我省林业可持续发展及湿地生态文化建设美好的明天。

《中国湿地资源 · 黑龙江卷》编辑委员会

2014 年 11 月

# 目　录

# 第一章 基本情况

## 第一节 自然概况

### 1 地理位置

黑龙江省位于祖国的东北边陲，地理坐标为东经 121°11′～135°05′、北纬 43°26′～53°33′，是我国纬度最高的省份。北部和东部隔黑龙江、乌苏里江与俄罗斯相望，西部与内蒙古自治区毗邻，南部与吉林省接壤，总面积 45.48 万平方公里，占全国陆地总面积的 4.74%。

### 2 地质地貌

地质构造是形成地貌的骨架，对黑龙江省大地地貌的格局有着决定性影响。黑龙江省内处于华力西、燕山运动显著上升的地区，侵蚀地貌发育，山势高起；中新生代沉降的地区，堆积地貌发育，地形平坦，表现为平原景观。

根据地质力学的观点，黑龙江省地质构造体系主要有 4 种，即：北北东向的新华夏系，北东向的华夏系，华夏式构造，东西向构造。新华夏系构造与华夏系构造以隆褶、拗褶为主，东西向构造表现为隆起与拗陷，岩浆活动与断裂。在这些构造体系中以新华夏系对于黑龙江省地貌格局影响最为明显。新华夏系在全省包括了 3 个北北东走向的宏伟构造带，即：东部隆起带、中部松嫩沉降带、西部大兴安岭隆起带。

东部隆起带，属新华夏系第二隆起带，包括张广才岭、老爷岭、那丹哈达岭褶皱带，小兴安岭南段隆起带褶皱带和三江、兴凯断陷带，它们大都平行相间排列。区内构造系的形式除北北东向新华夏系外，尚有北东向的华夏系、华夏式构造出现。境内除一些断陷盆地沉积一些砂砾岩、第四纪松散地层外，大部分为华力西期花岗岩、燕山期花岗岩、侏罗纪火山碎屑岩，并有大量新生代玄武岩，及少量元古代的变质岩系。

中部松嫩沉降带，属新华夏系第二沉降带，位于东部隆起带与大兴安岭隆起带之间，四周为断裂所限，是个北北东向分布，西陡东缓的向斜。断陷开始于白垩纪，形成了一个盆地，沉积了一套滨湖相、浅湖相含油碎屑沉积。第三纪又沉积了一套内陆湖相沉积。区内基底为前震旦纪结晶片岩及古生代变质岩系，上部为厚的第四纪松散地层覆盖，表层为冲积、洪积黄土状亚黏土。

西部大兴安岭隆起带，属新华夏系第三隆起带，东界松嫩平原，西邻内蒙古高原，除主轴呈北北东向新华夏系外，北东向的华夏系构造亦较发育。其构造特点是：剧烈断块隆起和阶梯式断裂，沿断裂喷出北东向及北北东向分布的大量中、基性，中、酸性火山岩，凝灰岩，并伴随大量花岗岩。

黑龙江省地貌格局受新华夏系的控制，在宏观上为三江平原，松嫩平原及其两侧的大、小兴安岭和东部山地构成的最基本的地貌轮廓。全省南北高，东西低，西北至东南为山地，东部与西部为平原。山地占60%，海拔高度300～1600米，平原约占40%，海拔高度35～200米。

大兴安岭山地位于我国最北部，面积1015万公顷，占全省面积的22.07%。受喜马拉雅运动的影响，发生东北—西南向不对称断裂构造，形成东坡陡，西坡缓的山地地形。海拔高度300～1500米，最高峰大白山为1529米。地貌特征为山地起伏和缓，山顶较平，呈准平原状态。流经本区的河流有额木尔河、盘古河、呼玛河等，沿河谷地带较宽阔，多沼泽发育。并有第四纪冰川遗迹，冰缘地貌发育，有多年冻土分布。按海拔可划分为中、低山和低山丘陵。

小兴安岭山地位于黑龙江省东北部，面积710万公顷，占全省面积15.43%，地质构造及山系分布复杂，走向变化较大。区内海拔高度400～1000米，最高峰平顶山为1429米。地势东南高，西北低。东南部山高坡陡，水流湍急；西北部地势和缓，河谷宽浅，水系发育，多沼泽分布。小兴安岭可划分为低山和丘陵、台地。

东部山地位于黑龙江省东南部，面积为450万公顷，占全省面积的9.78%，华力西运动和燕山运动产生了一些北东向及北北东向褶皱和断裂构造，形成了一系列山地、地堑和盆地。东部山地自西南向东北延伸，包括张广才岭、老爷岭、太平岭及完达山等相互平行的山脉和较宽阔的河谷平原。海拔高度300～1600米，最高峰大秃顶子1687米。由于降雨较丰富、河网密集、河谷落差大、侵蚀作用强等外营力作用，地形切割、山地破碎，且多山间谷地分布。又因高位玄武岩台地被切割，形成方山及深谷，后期断裂带又有玄武岩喷出，形成堰塞湖——镜泊湖，以及火山口，大型熔岩隧道、瀑布等自然景观。

松嫩平原位于黑龙江省西部，面积1336万公顷。占全省面积的29.04%，海拔高度110～300米。可分为两大地貌类型，即：山麓平原和冲积平原。山麓平原位于小兴安岭和东部山地的山前地带，面积为742万公顷。地势波浪状起伏，其北部有科洛及五大连池火山群；冲积平原是松嫩平原的腹地，面积为496万公顷，由河漫滩和一级阶地组成，海拔高度110～180米。河道弯曲、沿岸分布有自然堤、牛轭湖，境内微地形复杂，湖泊、泡沼星罗棋布。乌裕尔河、双阳河两条无尾河流汇于九道沟泛滥成为散流，淹没了下游低平地，形成大面积沼泽。平原水系不发育，地形平坦，排水不畅，形成了以安达为中心的闭流区。

三江平原面积1089万公顷，占全省面积的23.67%。系由黑龙江、松花江、乌苏里江冲积而成。海拔大部分在50～60米，最低处抚远三角洲只高出海平面34米。境内除松花江外，一般无明显河身，成为典型的沼泽性河流。

兴凯湖平原位于本省东南部，完达山以南，呈一喇叭型，面积106万公顷。系由穆棱河河谷平原与兴凯湖平原构成。本区地势低洼，地形平坦，海拔高度55～70米，由西南向北倾斜。地貌类型以河漫滩为主。

## 3 土　壤

黑龙江省的土壤分布及其基本特征有很大的差异。据全省第二次土壤普查，有18个土类，48个亚类，126个土属。山地草甸土、棕色针叶林土、暗棕壤、黑土、草甸土为垂直分布的土壤；水平地带性土壤有棕色针叶林土、暗棕壤、黑土、黑钙土、栗钙土、白浆土。主要土壤类型为棕色针叶林土441.17万公顷，占全省总面积的9.33%；暗棕壤1594.90万公顷，占全省总面积的33.72%；黑土482.47万公顷，占全省总面积的10.20%；黑钙土232.18万公顷，占全省总面积的4.91%；白浆土331.74万公顷，占全省总面积的7.01%；草甸土802.24万公顷，占全省总面积的16.96%；沼泽土347.90万公顷，占全省总面积的7.36%，此外，在松嫩平原的腹地及三江平原的局部地段分布有盐渍土（盐土和碱土），面积为93.68万公顷，占全省总面积的1.98%；在古河道和近代河湖的漫滩地、山间谷地和洼地有泥炭土，面积为10.50万公顷，占全省总面积的0.22%；在泰来县境内有栗钙土1.40万公顷，占全省总面积的0.03%；河流沿岸分布有新积土，面积为81.86万公顷，占全省总面积的1.73%；在富裕县塔哈以南的嫩江及其支流的阶地和河湖漫滩分布有风沙土，面积为42.88万公顷，占全省总面积的0.91%；在地势高峻的山体，土层薄，岩石裸露，分布有石质土，面积12万公顷，占全省总面积的0.25%。还有山地草甸土、火山灰土、水稻土等土类94.50万公顷，占全省总面积的2.00%；水面160.53万公顷，占全省总面积的3.39%。

## 4 气　候

黑龙江省地处亚洲大陆东岸中纬度地段，纵跨中温、寒温带。气候四季分明，雨热同季，春秋短促。冬季漫长，严寒、干燥；夏季温暖，降水集中；春季大风、干旱；秋季晴朗，出现早霜。日照较多，热量条件优越。南北温差大，东西降水分布不均，气候灾害频繁。

（1）气温。全省多年平均气温-5～4℃，从东南向西北递减。1月份最冷，平均气温-30～-16℃，最低为-40℃，极端最低气温漠河曾出现-52.3℃；为全国最低记录。7月最热，平均气温19～23℃，最高36～38℃，泰来县曾出现过高达41.6℃的极值。1月和7月的月平均气温差值可达40～48℃，从南向北逐渐增大。气温的日较差，1月和7月在7～11℃之间，从北向南递减。

（2）降水。黑龙江省降水量多年平均值在370～670毫米之间，地区间差异性很大。中部通河以北小兴安岭山地及尚志、五常一带降水最多，平均在600毫米以上；西部地区泰来县一带降雨量不足400毫米；东部地区在500～600毫米之间。降水时空分布不均，主要集中在6～8月份，占全年降水量的65%左右；12～2月最小，占全年降水量的2%～4%，降水年际变率大，在20%～25%，个别年份变率达40%，出现水旱灾害。

（3）日照。黑龙江省是全国最高纬度的省份，日照条件非常优越，年日照时数在2000～2900小时。嫩江以南，北安、海伦、绥化、哈尔滨以西广大地区为高值区，是日照百分率最大的地区（60%～70%）；泰来、杜蒙、肇州等地年均日照时数为2900小时以上；伊春、五常一带为最低地区，年均为2270小时，日照百分率为51%；其他大部分地区在2400～2600小时，日照百分率在55%～60%。年日照分布东少西多、北少南多。

(4)无霜期。黑龙江省纵跨近11个纬度，无霜期由东南向西北递减，东南、西南两隅无霜期140天以上，最西北的新林、呼中、漠河等地和伊春的中西部不足90天。地区110～130天。

(5)蒸发量。黑龙江省年平均蒸发量在909.1～1798.2毫米，其最大值在西南部的泰来县，为1798.2毫米；最小值出现在北部大兴安岭的呼中市，为909.1毫米。

## 5 水 文

全省河流集水面积为45.48万平方公里，其中黑龙江干流为11.71万平方公里，嫩江10.30万平方公里，松花江干流16.73万平方公里，乌苏里江5.98万平方公里，绥芬河0.76万平方公里。

全省境内河流纵横，湖泊众多，全省流域面积50平方公里以上河流1918条。其中50～300平方公里的有1587条，300～1000平方公里的有220条，1000～10000平方公里的有93条，10000平方公里以上的有18条。

黑龙江省境内水系发达，河流纵横，分属黑龙江、松花江、乌苏里江、绥芬河四大水系。其中松花江(含嫩江)、乌苏里江两大河流汇入黑龙江，直接出境入海的有黑龙江和绥芬河两个独立水系。境内河流除58条属绥芬河流域外，其余均为黑龙江流域。

全省18条重要河流，松花江水系有嫩江干流、讷谟尔河、乌裕尔河、松花江干流、呼兰河、通肯河、拉林河、蚂蚁河、倭肯河、牡丹江、汤旺河11条；黑龙江水系有黑龙江干流、额木尔河、呼玛河、逊别拉河4条；乌苏里江水系有穆棱河、挠力河2条；绥芬河水系有绥芬河1条。

黑龙江省多年平均年径流量602.24亿立方米，全省多年平均年径流深132.4毫米，全省多年平均径流深地区分布不均，高低值变化幅度大。

## 6 动植物概况

### 6.1 野生植物资源

黑龙江省植物区系分属于长白山、蒙古和东西伯利亚3个植物区系，这在全国其他省份是少见的。植物种类虽不丰富但由于黑龙江省地跨两个气候带，植被类型多样，其原始植被为寒温性兴安落叶松林和温性红松针阔叶混交林。黑龙江省有高等植物2050余种，分属于193科747属。其中苔藓植物389种，隶属67科175属；维管束植物1661种，隶属126科572属。种类多、分布广的优势科主要有菊科、禾本科、莎草科、毛茛科等科；其次，蔷薇科、豆科、百合科、蓼科、唇形科、伞形科分布也较广泛。由于气候和地貌复杂类型的多样性，植被的分布也具有明显的纬度地带性和经度地带性及垂直分布的规律性。按《中国植被》分类系统，全省有8个植被型，18个植被亚型。大兴安岭和小兴安岭北部为寒温性兴安落叶松林，小兴安岭及东部山地为温性以红松为主的针阔叶混交林，平原为以贝加尔针茅、线叶菊和杂类草、羊草为代表的草甸草原，平原洼地及湖泊周围分布有沼泽草甸和盐生草甸。山地植被垂直分布，大兴安岭海拔1400米以上为亚高山矮曲林带，海拔600～1400米为山地寒温性针叶林带；小兴安岭及东部山地海拔1500米以上为亚高山矮曲林带，海拔900～1500米为山地寒温性针叶林带，900米以下为山地温性针阔叶混交林带。

### 6.2　野生动物资源

黑龙江省野生动物资源丰富，分布有许多珍稀动物。在动物地理区划中属古北界东北区，共有脊椎动物41目108科580种，占全国种数的9.34%。其中，兽类87种，占全国种数的15.15%；鸟类361种，占全国种数的29.02%；两栖类12种，占全国种数的3.87%；爬行类16种，占全国种数的4.26%；鱼类106种，占全国种数的2.72%。第二次湿地资源调查结果表明，黑龙江省湿地野生动物资源丰富，有湿地野生动物(脊椎动物)6纲27目62科330种，其中鱼类2纲8目22科106种，两栖类2目6科12种，爬行类2目2科5种，鸟类13目26科196种，哺乳类2目5科11种。有东北虎、丹顶鹤、虎头海雕、玉带海雕、白尾海雕、中华秋沙鸭等国家Ⅰ级保护野生动物17种，大天鹅、鸳鸯、白枕鹤等国家Ⅱ级保护野生动物66种。黑龙江省的自然地理特征对湿地动物的分布及生态特征有明显的影响，并形成与其相适应的生态地理动物种类。兽类的区系成分以古北界为主。鸟类组成中以候鸟占优势，有明显的季节性。夏季鸟类组成丰富，冬季鸟类单调。本省鸟类既有古北界种类，又有东洋界的种类，但古北界成分占优势。很多鸟类的生活与湿地环境密切相关，如丹顶鹤、白鹤、白琵鹭、大天鹅、鸳鸯等。

## 第二节
## 社会经济状况

### 1　行政区划、人口、民族

黑龙江省辖哈尔滨、齐齐哈尔、牡丹江、佳木斯、鸡西、大庆、鹤岗、双鸭山、伊春、七台河、绥化、黑河及大兴安岭13个市(地)，78个县(市、区)，907个乡(镇)，14488个村。全省2009年底总人口为3824万人，人口密度82人/平方公里，其中城镇人口2016万人，占总人口的55.1%；农业人口1718万人，占总人口的44.9%。

全省共有53个民族，1个少数民族自治县，主要民族有汉、满、蒙、回、朝鲜、达斡尔、鄂伦春、鄂温克、赫哲、锡伯等。

### 2　经济发展及工、农业生产情况

经过新中国成立以来60多年的建设和发展，黑龙江省资源优势逐步得到发挥，社会经济面貌发生了巨大变化。尤其是近年来，在省委、省政府的正确领导下，加大改革开放力度、注重产业结构的调整，国民经济不断稳定增长。2008年统计资料表明，全年实现地区生产总值(GDP)8310亿元，按可比价格计算比上年增长11.8%。其中，第一产业增加值1089.10亿元，增长8.2%；第二产业增加值4365.90亿元，增长12.1%；第三产业增加值2855亿元，增长12.4%。人均地区生产总值21727元，增长11.7%。全年粮食作物播种面积1098.80万公顷，比上年增长1.5%；粮食总产量4225万吨，创历史新高。年末奶牛、猪、羊和家禽存栏分别为221.2万头、1788万头、1018.4万只和16693.3万只。

全省现有铁路、公路、水运、航空等运输形式，形成了初具规模的陆、水、空综合运输网。哈长、滨绥、滨洲、拉滨、通让、平齐、牡图等 34 条铁路干支线贯穿黑龙江省东、西、南、北、中，铁路营运里程达 5331 公里(其中地方铁路 492 公里)，铁路专用线 1030 条，均居全国第一位。黑龙江省公路总里程近 5 万公里，有国道 8 条，省道 26 条，县道 216 条，形成了四通八达的交通网络，使得省内 99% 的乡镇和 96.5% 的村屯均可常年通车。

# 第二章 湿地类型

## 第一节 湿地类型和面积

### 1 湿地自然概况

黑龙江省湿地资源调查总面积 4549. 28 万公顷，调查湿地总面积 514. 33 万公顷(不包括加格达奇和松岭区 41. 85 万公顷)，占调查总面积 11. 30%。

黑龙江省湿地分布图如图 2-1。

黑龙江省重点调查湿地分布图如图 2-2。

### 2 各湿地类型的湿地面积

依据本次湿地调查分类标准，湿地分为 4 类 15 型，湿地面积 514. 33 万公顷(不包括加格达奇和松岭区)，占全省国土面积的 11. 29%。自然湿地 495. 38 万公顷，占全省湿地面积的 96. 33%。其中，河流湿地面积 73. 35 万公顷，占湿地总面积的 14. 26%；湖泊湿地 35. 60 万公顷，占湿地总面积的 6. 92%；沼泽湿地面积 386. 43 万公顷，占湿地总面积的 75. 13%；人工湿地面积 18. 95 万公顷，占湿地总面积的 3. 68%。此外，还有稻田面积 263 万公顷(不计入黑龙江省湿地面积)。

黑龙江省各湿地类型及面积见表 2-1。

黑龙江省湿地类型比例构成如图 2-3。

**表 2-1 各湿地类型及面积**(公顷)

| 湿地类型 | 面　积 | 湿地类型 | 面　积 | 湿地类型 | 面　积 |
|---|---|---|---|---|---|
| 永久性河流 | 422244. 38 | 季节性淡水湖 | 15813. 42 | 季节性咸水沼泽 | 145680. 52 |
| 季节性或间歇性河流 | 8810. 05 | 季节性咸水湖 | 25400. 66 | 沼泽化草甸 | 407389. 49 |
| 洪泛平原湿地 | 302448. 20 | 草本沼泽 | 1984910. 95 | 库塘湿地 | 159261. 35 |
| 永久性淡水湖 | 183339. 71 | 灌丛沼泽 | 286427. 31 | 运河/输水河 | 20544. 02 |
| 永久性咸水湖 | 131461. 80 | 森林沼泽 | 1039912. 51 | 水产养殖场 | 9720. 56 |

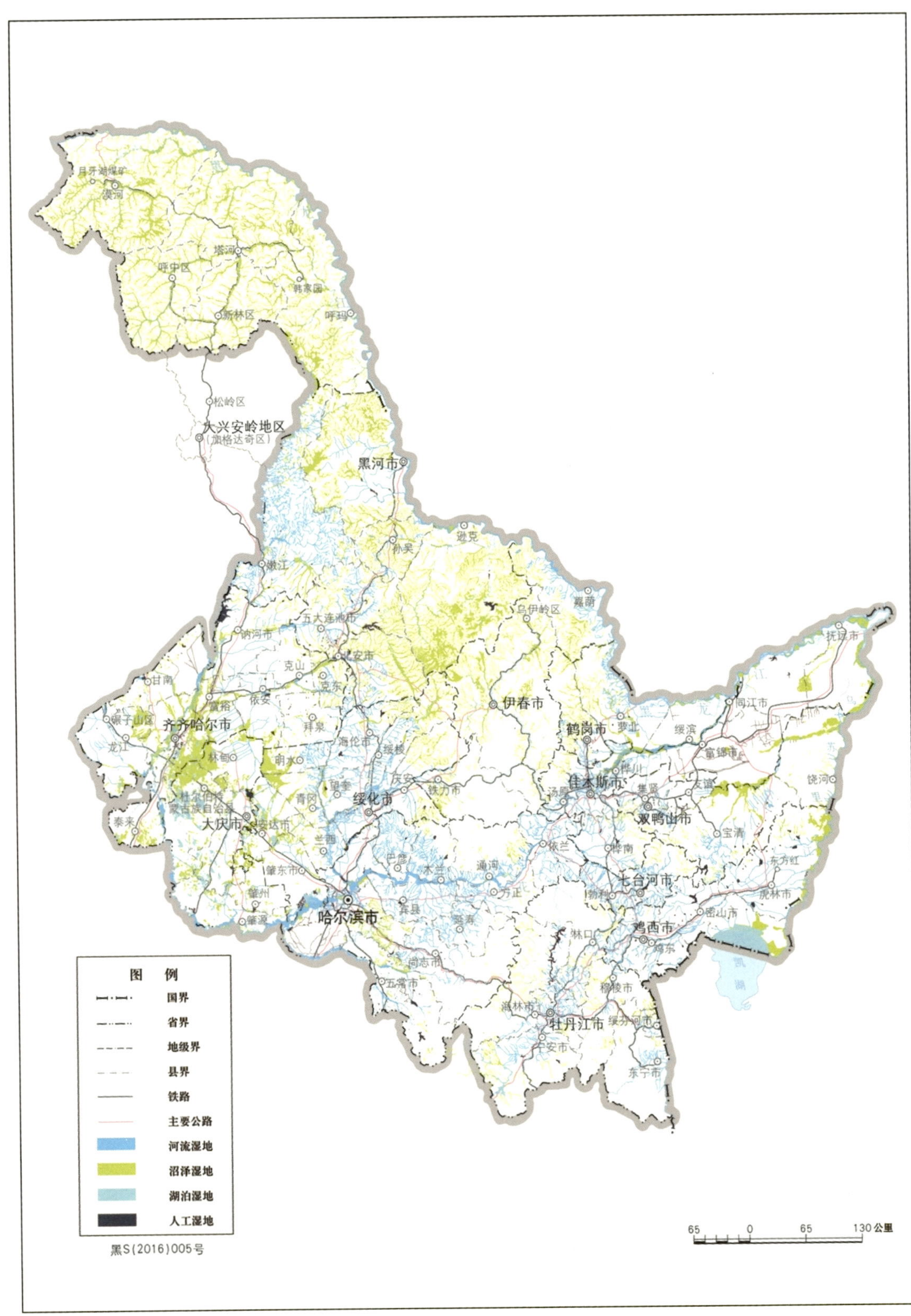


图 2-1 黑龙江省湿地分布图

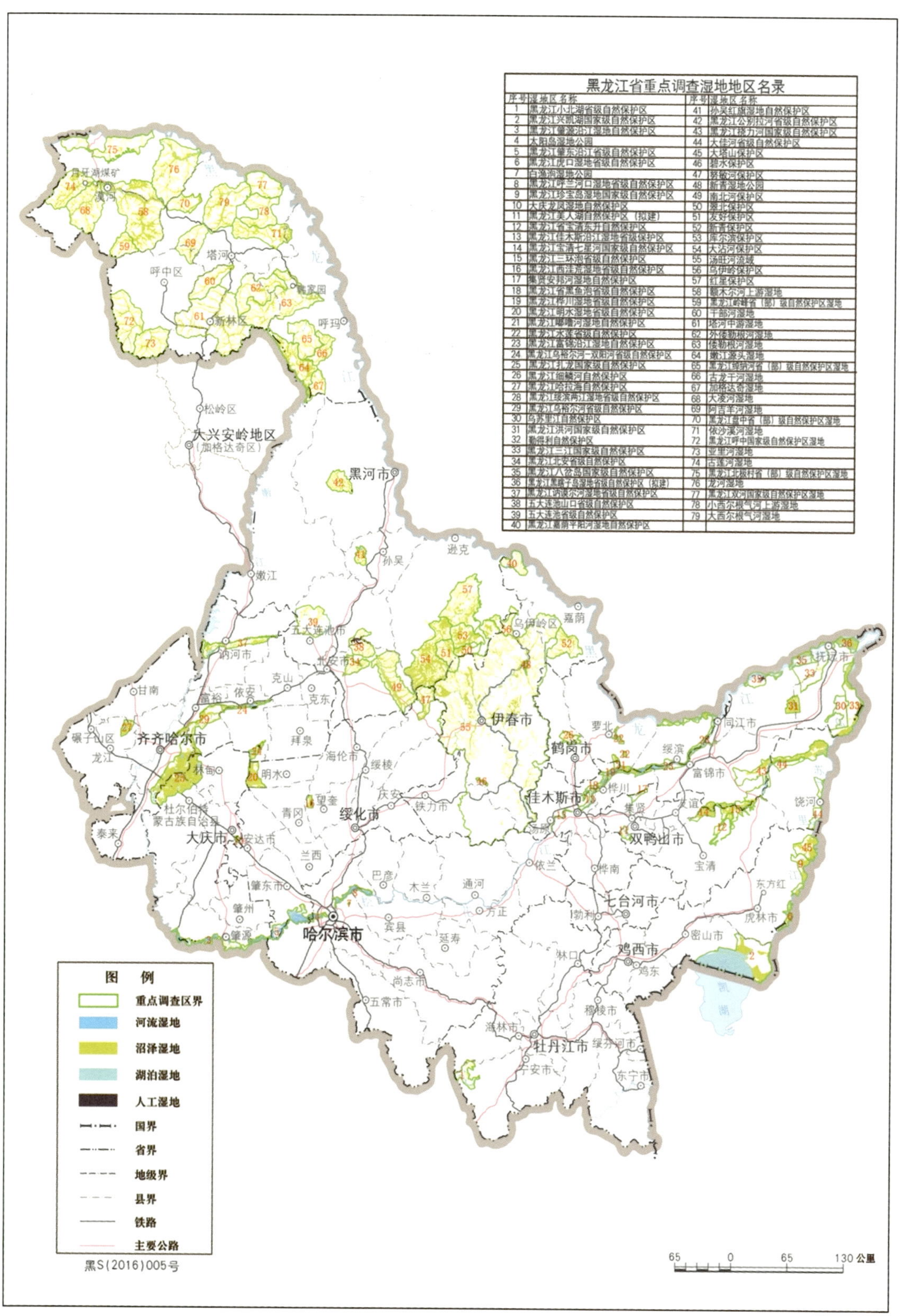


黑龙江省重点调查湿地地区名录

| 序号 | 湿地区名称 | 序号 | 湿地区名称 |
| --- | --- | --- | --- |
| 1 | 黑龙江小北湖省级自然保护区 | 41 | 孙吴红旗湿地自然保护区 |
| 2 | 黑龙江兴凯湖国家级自然保护区 | 42 | 黑龙江公别拉河省级自然保护区 |
| 3 | 黑龙江肇源沿江湿地自然保护区 | 43 | 黑龙江挠力河国家级自然保护区 |
| 4 | 太阳岛湿地公园 | 44 | 大佳河省级自然保护区 |
| 5 | 黑龙江肇东沿江省级自然保护区 | 45 | 大塔山保护区 |
| 6 | 黑龙江虎口湿地省级自然保护区 | 46 | 碧水保护区 |
| 7 | 白渔泡湿地公园 | 47 | 努敏河保护区 |
| 8 | 黑龙江呼兰河口湿地省级自然保护区 | 48 | 新青湿地公园 |
| 9 | 黑龙江珍宝岛湿地国家级自然保护区 | 49 | 南北河保护区 |
| 10 | 大庆龙凤湿地自然保护区 | 50 | 翠北保护区 |
| 11 | 黑龙江美人湖自然保护区（拟建） | 51 | 友好保护区 |
| 12 | 黑龙江省宝清东升自然保护区 | 52 | 新青保护区 |
| 13 | 黑龙江佳木斯沿江湿地省级保护区 | 53 | 库尔滨保护区 |
| 14 | 黑龙江宝清七星河国家级自然保护区 | 54 | 大沾河保护区 |
| 15 | 黑龙江三环泡省级自然保护区 | 55 | 汤旺河流域 |
| 16 | 黑龙江西洼荒湿地省级自然保护区 | 56 | 乌伊岭保护区 |
| 17 | 集贤安邦河湿地自然保护区 | 57 | 红星保护区 |
| 18 | 黑龙江省黑鱼泡省级自然保护区 | 58 | 额木尔河上游湿地 |
| 19 | 黑龙江桦川湿地省级自然保护区 | 59 | 黑龙江岭峰省（部）级自然保护区湿地 |
| 20 | 黑龙江明水湿地省级自然保护区 | 60 | 干部河湿地 |
| 21 | 黑龙江嘟噜河湿地自然保护区 | 61 | 塔河中游湿地 |
| 22 | 黑龙江水莲省级自然保护区 | 62 | 外倭勒根河湿地 |
| 23 | 黑龙江富锦沿江湿地自然保护区 | 63 | 倭勒根河湿地 |
| 24 | 黑龙江乌裕尔河-双阳河省级自然保护区 | 64 | 嫩江源头湿地 |
| 25 | 黑龙江扎龙国家级自然保护区 | 65 | 黑龙江绰纳河省（部）级自然保护区湿地 |
| 26 | 黑龙江细鳞河自然保护区 | 66 | 古龙干河湿地 |
| 27 | 黑龙江哈拉海自然保护区 | 67 | 加格达奇湿地 |
| 28 | 黑龙江绥滨两江湿地省级自然保护区 | 68 | 大凌河湿地 |
| 29 | 黑龙江乌裕尔河省级自然保护区 | 69 | 阿吉羊河湿地 |
| 30 | 乌苏里江自然保护区 | 70 | 黑龙江盘中省（部）级自然保护区湿地 |
| 31 | 黑龙江洪河国家级自然保护区 | 71 | 依沙溪河湿地 |
| 32 | 勤得利自然保护区 | 72 | 黑龙江呼中国家级自然保护区湿地 |
| 33 | 黑龙江三江国家级自然保护区 | 73 | 亚里河湿地 |
| 34 | 黑龙江北安省级自然保护区 | 74 | 古莲河湿地 |
| 35 | 黑龙江八岔岛国家级自然保护区 | 75 | 黑龙江北极村省（部）级自然保护区湿地 |
| 36 | 黑龙江黑瞎子岛湿地省级自然保护区（拟建） | 76 | 龙河湿地 |
| 37 | 黑龙江讷谟尔河湿地省级自然保护区 | 77 | 黑龙江双河国家级自然保护区湿地 |
| 38 | 五大连池山口省级自然保护区 | 78 | 小西尔根气河上游湿地 |
| 39 | 五大连池省级自然保护区 | 79 | 大西尔根气河湿地 |
| 40 | 黑龙江嘉荫平阳河湿地自然保护区 |  |  |

图 **2-2**　黑龙江省重点调查湿地分布图

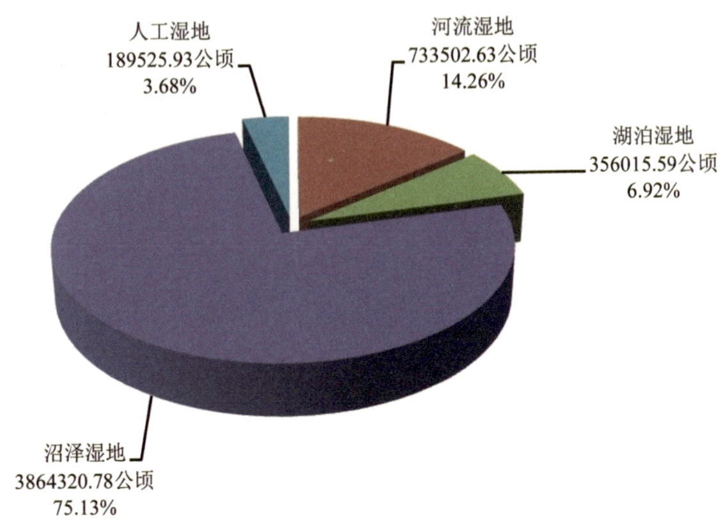


图 **2-3** 黑龙江省湿地类型比例构成图

## 3 各流域的湿地类及面积

黑龙江省湿地资源，主要分布在1个一级流域、5个二级流域、12个三级流域中(表2-2)。

**表2-2 各流域湿地类型及面积**(公顷)

| 一级流域 | 二级流域 | 三级流域 | 湿地面积 | 河流湿地 | 湖泊湿地 | 沼泽湿地 | 人工湿地 |
|---|---|---|---|---|---|---|---|
| 松花江 | 合计 | | 5143364.93 | 733502.63 | 356015.59 | 3864320.78 | 189525.93 |
| | 黑龙江干流 | 黑龙江干流 | 1938927.81 | 169582.84 | 4455.17 | 1755036.48 | 9853.32 |
| | 嫩江 | 尼尔基以上 | 227929.72 | 39142.22 | 2119.21 | 175504.81 | 11163.48 |
| | | 尼尔基至江桥 | 760921.77 | 85486.58 | 33239.14 | 604472.60 | 37723.45 |
| | | 江桥以下 | 373196.01 | 25098.47 | 138710.89 | 195691.98 | 13694.67 |
| | | 计 | 1362047.50 | 149727.27 | 174069.24 | 975669.39 | 62581.60 |
| | 松花江(三岔口以下) | 通河至佳木斯干流区间 | 277428.77 | 43611.46 | 66.45 | 226654.07 | 7096.79 |
| | | 哈尔滨至通河 | 502213.52 | 144473.69 | 4150.49 | 320894.08 | 32695.26 |
| | | 佳木斯以下 | 177533.31 | 56439.99 | 474.07 | 102781.63 | 17837.62 |
| | | 牡丹江 | 92807.67 | 14794.48 | 12061.45 | 51339.70 | 14612.04 |
| | | 三岔口至哈尔滨 | 263566.64 | 118149.86 | 30833.16 | 98071.96 | 16511.66 |
| | | 计 | 1313549.91 | 377469.48 | 47585.62 | 799741.44 | 88753.37 |
| | 乌苏里江 | 穆棱河口以下 | 298023.03 | 23559.73 | 4071.48 | 260144.69 | 10247.13 |
| | | 穆棱河口以上 | 215241.79 | 9574.90 | 125834.08 | 61867.30 | 17965.51 |
| | | 计 | 513264.82 | 33134.63 | 129905.56 | 322011.99 | 28212.64 |
| | 绥芬河 | 绥芬河 | 15574.89 | 3588.41 | 0 | 11861.48 | 125.00 |

## 4 各湿地区的湿地类及面积

各湿地区的湿地类及面积见表2-3、表2-4。

**表2-3 单独区划湿地区的湿地类及面积**(公顷)

| 湿地区 | 湿地面积 | 河流湿地 | 湖泊湿地 | 沼泽湿地 | 人工湿地 |
|---|---|---|---|---|---|
| 黑龙江扎龙国家级自然保护区湿地区 | 171066.87 | 0 | 12147.70 | 158081.81 | 837.36 |
| 黑龙江兴凯湖国家级自然保护区湿地区 | 172679.18 | 940.48 | 125731.16 | 45915.96 | 91.58 |
| 黑龙江三江国家级自然保护区湿地区 | 55787.09 | 10740.45 | 1707.87 | 43321.63 | 17.14 |
| 黑龙江洪河国家级自然保护区湿地区 | 21699.28 | 0 | 17.24 | 21682.04 | 0 |
| 黑龙江八岔岛国家级自然保护区湿地区 | 13858.29 | 7217.66 | 101.66 | 6538.97 | 0 |
| 黑龙江宝清七星河国家级自然保护区湿地区 | 16199.38 | 0 | 268.17 | 15931.21 | 0 |
| 黑龙江珍宝岛湿地国家级自然保护区湿地区 | 18596.93 | 2018.59 | 1099.99 | 15478.35 | 0 |
| 黑龙江挠力河国家级自然保护区湿地区 | 78164.64 | 3751.72 | 765.37 | 73647.55 | 0 |
| 黑龙江嘟噜河湿地自然保护区湿地区 | 11007.29 | 1246.04 | 11.43 | 9749.82 | 0 |
| 黑龙江小北湖省级自然保护区湿地区 | 4872.59 | 73.02 | 684.77 | 4114.80 | 0 |
| 黑龙江五大连池山口省级自然保护区湿地区 | 14316.70 | 0 | 0 | 9331.64 | 4985.06 |
| 黑龙江大佳河省级自然保护区湿地区 | 10116.57 | 2731.20 | 50.76 | 7214.41 | 120.20 |
| 黑龙江桦川湿地省级自然保护区湿地区 | 15881.33 | 5202.84 | 0 | 10678.49 | 0 |
| 黑龙江三环泡省级自然保护区湿地区 | 20437.70 | 429.76 | 417.55 | 19590.39 | 0 |
| 黑龙江省宝清东升自然保护区湿地区 | 8592.96 | 0 | 309.99 | 8282.97 | 0 |
| 黑龙江集贤安邦河湿地自然保护区湿地区 | 1056.82 | 71.41 | 260.17 | 686.08 | 39.16 |
| 黑龙江北安省级自然保护区湿地区 | 8451.67 | 0 | 0 | 8423.37 | 28.30 |
| 黑龙江大庆龙凤湿地自然保护区湿地区 | 2976.05 | 0 | 0 | 2945.70 | 30.35 |
| 黑龙江乌苏里江自然保护区湿地区 | 406.53 | 406.53 | 0 | 0 | 0 |
| 黑龙江勤得利自然保护区湿地区 | 12600.43 | 8542.00 | 515.98 | 2375.66 | 1166.79 |
| 黑龙江省虎口湿地省级自然保护区湿地区 | 10410.10 | 1736.64 | 723.51 | 7949.95 | 0 |
| 黑龙江哈拉海自然保护区湿地区 | 14739.48 | 0 | 1326.90 | 13412.58 | 0 |
| 黑龙江水莲省级自然保护区湿地区 | 6039.05 | 0 | 0 | 5851.92 | 187.13 |
| 黑龙江乌裕尔河省级自然保护区湿地区 | 29865.14 | 591.55 | 620.14 | 28509.38 | 144.07 |
| 黑龙江细鳞河自然保护区湿地区 | 3262.35 | 78.15 | 0 | 2656.97 | 527.23 |
| 黑龙江公别拉河省级自然保护区湿地区 | 15010.96 | 0 | 0 | 14660.92 | 350.04 |
| 黑龙江肇东沿江省级自然保护区湿地区 | 41830.43 | 29687.47 | 9372.14 | 2770.82 | 0 |
| 黑龙江省黑鱼泡省级自然保护区湿地区 | 14726.28 | 8876.28 | 76.41 | 5773.59 | 0 |

（续）

| 湿地区 | 湿地面积 | 河流湿地 | 湖泊湿地 | 沼泽湿地 | 人工湿地 |
|---|---|---|---|---|---|
| 黑龙江绥滨两江湿地省级自然保护区湿地区 | 35997.90 | 20196.82 | 203.48 | 15597.60 | 0 |
| 黑龙江明水湿地省级自然保护区湿地区 | 33003.08 | 0 | 0 | 33003.08 | 0 |
| 黑龙江讷谟尔河湿地省级自然保护区湿地区 | 19612.64 | 633.11 | 385.32 | 18541.65 | 52.56 |
| 黑龙江乌裕尔河—双阳河省级自然保护区湿地区 | 17522.30 | 2789.42 | 0 | 12164.95 | 2567.93 |
| 黑龙江佳木斯沿江湿地省级保护区湿地区 | 10637.76 | 7443.88 | 0 | 3073.88 | 120.00 |
| 黑龙江西洼荒湿地省级自然保护区湿地区 | 5168.09 | 0 | 0 | 4299.98 | 868.11 |
| 黑龙江肇源沿江湿地自然保护区湿地区 | 33047.10 | 25075.12 | 2935.53 | 5036.45 | 0 |
| 黑龙江富锦沿江湿地自然保护区湿地区 | 14844.65 | 10279.54 | 46.03 | 4519.08 | 0 |
| 黑龙江嘉荫平阳河湿地自然保护区湿地区 | 6790.99 | 2705.20 | 42.21 | 4043.58 | 0 |
| 黑龙江呼兰河口湿地省级自然保护区湿地区 | 17516.84 | 16800.83 | 133.48 | 466.36 | 116.17 |
| 黑龙江孙吴红旗湿地自然保护区湿地区 | 7644.27 | 19.99 | 0 | 7624.28 | 0 |
| 黑龙江黑瞎子岛湿地省级自然保护区 | 23404.52 | 5727.57 | 894.93 | 16782.02 | 0 |
| 黑龙江白渔泡湿地公园湿地区 | 290.37 | 0 | 0 | 165.48 | 124.89 |
| 黑龙江太阳岛湿地公园湿地区 | 8144.31 | 6769.90 | 37.23 | 1318.09 | 19.09 |
| 黑龙江五大连池省级自然保护区湿地区 | 10343.78 | 90.11 | 2036.62 | 8116.16 | 100.89 |
| 黑龙江美人湖自然保护区(拟建)湿地区 | 1648.68 | 72.47 | 0 | 908.60 | 667.61 |
| 黑龙江乌伊岭自然保护区湿地区 | 6948.60 | 0 | 0 | 6948.60 | 0 |
| 黑龙江新青白头鹤自然保护区湿地区 | 14580.21 | 11.71 | 0 | 14568.50 | 0 |
| 黑龙江红星湿地自然保护区湿地区 | 33649.77 | 925.99 | 0 | 32348.90 | 374.88 |
| 黑龙江翠北湿地自然保护区湿地区 | 6695.68 | 17.99 | 0 | 6677.69 | 0 |
| 黑龙江库尔滨河湿地自然保护区湿地区 | 27986.02 | 94.41 | 0 | 27891.61 | 0 |
| 黑龙江友好湿地自然保护区湿地区 | 13443.93 | 0 | 0 | 13443.93 | 0 |
| 黑龙江大沾河湿地自然保护区湿地区 | 112844.03 | 263.64 | 0 | 112580.39 | 0 |
| 黑龙江南北河自然保护区湿地区 | 42070.80 | 350.31 | 0 | 41720.49 | 0 |
| 黑龙江努敏河湿地自然保护区湿地区 | 11222.34 | 0 | 0 | 11222.34 | 0 |
| 黑龙江带岭碧水秋沙鸭自然保护区湿地区 | 157.98 | 91.67 | 0 | 66.31 | 0 |
| 黑龙江东方红湿地自然保护区湿地区 | 28789.52 | 1625.01 | 0 | 27164.51 | 0 |
| 汤旺河湿地区湿地区 | 168484.96 | 7910.42 | 43.11 | 160475.83 | 55.60 |
| 黑龙江新青国家级湿地公园湿地区 | 2600.52 | 41.52 | 0 | 2559.00 | 0 |
| 黑龙江干流湿地区 | 323831.69 | 9524.81 | 0 | 314265.55 | 0 |
| 呼玛河湿地区 | 253772.50 | 4385.35 | 0 | 249387.15 | 0 |
| 嫩江源头湿地区 | 58201.64 | 374.63 | 74.90 | 57752.11 | 0 |

**表 2-4　零星湿地区的湿地类及面积(公顷)**

| 地　市 | 湿地区 | 湿地面积 | 河流湿地 | 湖泊湿地 | 沼泽湿地 | 人工湿地 |
|---|---|---|---|---|---|---|
| 哈尔滨 | 哈尔滨市零星湿地区 | 14499.13 | 12169.88 | 224.74 | 366.44 | 1738.07 |
| | 呼兰区零星湿地区 | 15439.27 | 10249.72 | 199.87 | 574.14 | 4415.54 |
| | 阿城区零星湿地区 | 43820.56 | 3038.17 | 507.21 | 39053.89 | 1221.29 |
| | 依兰县零星湿地区 | 14909.26 | 12741.58 | 23.34 | 326.74 | 1817.60 |
| | 方正县零星湿地区 | 13270.14 | 12472.02 | 0 | 23.71 | 774.41 |
| | 宾县零星湿地区 | 15684.34 | 13875.59 | 721.22 | 129.24 | 958.29 |
| | 巴彦县零星湿地区 | 16116.37 | 11288.31 | 0 | 3108.05 | 1720.01 |
| | 木兰县零星湿地区 | 15625.50 | 14955.27 | 106.72 | 97.37 | 466.14 |
| | 通河县零星湿地区 | 14951.09 | 11279.01 | 1437.91 | 1809.23 | 424.94 |
| | 延寿县零星湿地区 | 6211.68 | 4755.07 | 0 | 139.44 | 1317.17 |
| | 双城市零星湿地区 | 38262.90 | 29393.78 | 0 | 5193.11 | 3676.01 |
| | 尚志市零星湿地区 | 5094.22 | 3007.61 | 0 | 216.43 | 1870.18 |
| | 五常市零星湿地区 | 47776.68 | 31027.10 | 589.99 | 11846.75 | 4312.84 |
| 齐齐哈尔 | 齐齐哈尔市零星湿地区 | 99613.67 | 15979.26 | 5756.13 | 74160.10 | 3718.18 |
| | 龙江县零星湿地区 | 57737.69 | 9795.24 | 3489.80 | 43992.36 | 460.29 |
| | 依安县零星湿地区 | 12345.11 | 498.74 | 0 | 11090.17 | 756.20 |
| | 泰来县零星湿地区 | 53115.81 | 10660.96 | 6777.33 | 34737.64 | 939.88 |
| | 甘南县零星湿地区 | 38933.35 | 17232.83 | 670.96 | 17172.99 | 3856.57 |
| | 富裕县零星湿地区 | 52715.45 | 1897.72 | 1063.00 | 48348.32 | 1406.41 |
| | 克山县零星湿地区 | 27113.26 | 12336.39 | 0 | 13696.96 | 1079.91 |
| | 克东县零星湿地区 | 40249.92 | 10276.79 | 981.39 | 28520.60 | 471.14 |
| | 拜泉县零星湿地区 | 14068.67 | 259.96 | 0 | 11923.55 | 1885.16 |
| | 讷河市零星湿地区 | 38573.97 | 2261.51 | 20.47 | 17000.57 | 19291.42 |
| 鸡　西 | 鸡西市零星湿地区 | 2866.95 | 1697.03 | 0 | 148.93 | 1020.99 |
| | 鸡东县零星湿地区 | 4259.35 | 1354.53 | 0 | 629.40 | 2275.42 |
| | 虎林市零星湿地区 | 11030.70 | 2275.50 | 102.92 | 26.02 | 8626.26 |
| | 密山市零星湿地区 | 7630.28 | 1443.99 | 0 | 312.36 | 5873.93 |
| 鹤　岗 | 鹤岗市零星湿地区 | 19578.82 | 592.27 | 0 | 16861.23 | 2125.32 |
| | 萝北县零星湿地区 | 29567.51 | 10613.91 | 175.27 | 18195.65 | 582.68 |
| | 绥滨县零星湿地区 | 3570.53 | 1605.08 | 139.72 | 1613.88 | 211.85 |
| 双鸭山 | 双鸭山市零星湿地区 | 3197.66 | 671.87 | 0 | 1574.09 | 951.70 |
| | 集贤县零星湿地区 | 2988.04 | 479.74 | 0 | 1933.88 | 574.42 |

（续）

| 地市 | 湿地区 | 湿地面积 | 河流湿地 | 湖泊湿地 | 沼泽湿地 | 人工湿地 |
|---|---|---|---|---|---|---|
| 双鸭山 | 友谊县零星湿地区 | 2533.06 | 0 | 0 | 1430.78 | 1102.28 |
| | 宝清县零星湿地区 | 26034.00 | 1514.07 | 66.30 | 17082.44 | 7371.19 |
| | 饶河县零星湿地区 | 10627.29 | 2006.79 | 277.05 | 6707.37 | 1636.08 |
| 大庆 | 大庆市零星湿地区 | 89464.55 | 0 | 34986.31 | 46143.58 | 8334.66 |
| | 肇州县零星湿地区 | 21667.18 | 0 | 3542.04 | 16881.29 | 1243.85 |
| | 肇源县零星湿地区 | 42993.90 | 3146.16 | 18627.92 | 19612.60 | 1607.22 |
| | 林甸县零星湿地区 | 28056.51 | 0 | 644.77 | 27081.68 | 330.06 |
| | 杜尔伯特蒙古族自治县零星湿地区 | 129821.95 | 15322.83 | 72397.59 | 42033.49 | 68.04 |
| 伊春 | 嘉荫县零星湿地区 | 28488.96 | 18914.69 | 407.32 | 9166.95 | 0 |
| | 铁力市零星湿地区 | 9254.20 | 866.41 | 0 | 8286.75 | 101.04 |
| 佳木斯 | 佳木斯市零星湿地区 | 3322.74 | 1697.25 | 0 | 0 | 1625.49 |
| | 桦南县零星湿地区 | 13600.06 | 8258.73 | 0 | 3585.67 | 1755.66 |
| | 桦川县零星湿地区 | 2518.00 | 1624.01 | 0 | 137.91 | 756.08 |
| | 汤原县零星湿地区 | 8915.02 | 5699.97 | 0 | 2135.80 | 1079.25 |
| | 抚远县零星湿地区 | 1540.80 | 742.52 | 0 | 771.51 | 26.77 |
| | 同江市零星湿地区 | 24050.24 | 11200.35 | 182.12 | 12287.91 | 379.86 |
| | 富锦市零星湿地区 | 9514.40 | 0 | 0 | 3761.24 | 5753.16 |
| 七台河 | 七台河市零星湿地区 | 3245.49 | 1268.01 | 0 | 344.02 | 1633.46 |
| | 勃利县零星湿地区 | 8556.64 | 4282.55 | 0 | 1446.40 | 2827.69 |
| 牡丹江 | 牡丹江市零星湿地区 | 5378.39 | 1969.02 | 0 | 2902.01 | 507.36 |
| | 东宁县零星湿地区 | 7465.14 | 1917.57 | 0 | 5509.76 | 37.81 |
| | 林口县零星湿地区 | 10511.14 | 1566.10 | 0 | 8357.47 | 587.57 |
| | 绥芬河市零星湿地区 | 1373.99 | 170.44 | 0 | 1116.36 | 87.19 |
| | 海林市零星湿地区 | 3596.51 | 1782.31 | 0 | 1425.40 | 388.80 |
| | 宁安市零星湿地区 | 9553.39 | 3776.51 | 118.26 | 4762.46 | 896.16 |
| | 穆棱市零星湿地区 | 1471.65 | 1387.11 | 0 | 21.02 | 63.52 |
| 黑河 | 爱辉区零星湿地区 | 201616.11 | 11190.37 | 0 | 188649.05 | 1776.69 |
| | 嫩江县零星湿地区 | 95153.20 | 18832.97 | 0 | 74588.73 | 1731.50 |
| | 逊克县零星湿地区 | 73461.14 | 15598.60 | 0 | 57740.29 | 122.25 |
| | 孙吴县零星湿地区 | 60582.63 | 8130.57 | 0 | 52452.06 | 0 |
| | 北安市零星湿地区 | 38972.43 | 9311.69 | 0 | 26319.50 | 3341.24 |
| | 五大连池市零星湿地区 | 64000.21 | 26932.03 | 0 | 32707.21 | 4360.97 |

（续）

| 地 市 | 湿地区 | 湿地面积 | 河流湿地 | 湖泊湿地 | 沼泽湿地 | 人工湿地 |
|---|---|---|---|---|---|---|
| 绥 化 | 绥化市零星湿地区 | 13526.22 | 6745.60 | 747.28 | 1329.40 | 4703.94 |
| | 望奎县零星湿地区 | 7302.50 | 3632.59 | 0 | 3483.39 | 186.52 |
| | 兰西县零星湿地区 | 22207.05 | 4568.37 | 0 | 16960.95 | 677.73 |
| | 青冈县零星湿地区 | 45312.52 | 1498.49 | 0 | 43370.48 | 443.55 |
| | 庆安县零星湿地区 | 27187.36 | 1718.99 | 0 | 25065.09 | 403.28 |
| | 明水县零星湿地区 | 17508.57 | 1071.47 | 0 | 15819.20 | 617.90 |
| | 绥棱县零星湿地区 | 11383.62 | 2400.98 | 0 | 8014.34 | 968.30 |
| | 安达市零星湿地区 | 90361.66 | 0 | 23859.23 | 65432.73 | 1069.70 |
| | 肇东市零星湿地区 | 25651.20 | 0 | 2588.53 | 19631.80 | 3430.87 |
| | 海伦市零星湿地区 | 26703.33 | 2994.42 | 0 | 18264.29 | 5444.62 |
| 森 工* | 新青林业局湿地区 | 15162.63 | 0 | 0 | 15162.63 | 0 |
| | 乌伊岭林业局湿地区 | 38064.84 | 168.07 | 0 | 33186.97 | 4709.80 |
| | 红星林业局湿地区 | 2234.44 | 0 | 0 | 2234.44 | 0 |
| | 五营林业局湿地区 | 1856.07 | 0 | 0 | 1856.07 | 0 |
| | 桃山林业局湿地区 | 4381.29 | 289.26 | 0 | 3989.45 | 102.58 |
| | 铁力林业局湿地区 | 9167.11 | 83.81 | 0 | 9083.30 | 0 |
| | 双丰林业局湿地区 | 17170.91 | 0 | 0 | 16615.08 | 555.83 |
| | 沾河林业局湿地区 | 102065.34 | 1345.73 | 0 | 99723.55 | 996.06 |
| | 通北林业局湿地区 | 23545.30 | 0 | 0 | 23475.27 | 70.03 |
| | 绥棱林业局湿地区 | 25132.97 | 303.53 | 0 | 24702.50 | 126.94 |
| | 兴隆林业局湿地区 | 5044.97 | 319.48 | 25.71 | 2900.19 | 1799.59 |
| | 方正林业局湿地区 | 2934.17 | 115.87 | 0 | 2803.50 | 14.80 |
| | 苇河林业局湿地区 | 1157.40 | 286.52 | 0 | 853.47 | 17.41 |
| | 亚布力林业局湿地区 | 2233.34 | 573.69 | 9.12 | 1588.51 | 62.02 |
| | 山河屯林业局湿地区 | 7581.41 | 347.46 | 0 | 4472.46 | 2761.49 |
| | 林口林业局湿地区 | 5116.93 | 2669.58 | 0 | 2353.65 | 93.70 |
| | 柴河林业局湿地区 | 20333.26 | 656.58 | 0 | 8243.41 | 11433.27 |
| | 海林林业局湿地区 | 3718.48 | 173.61 | 0 | 3544.87 | 0 |
| | 大海林林业局湿地区 | 3739.82 | 971.11 | 0 | 2754.80 | 13.91 |
| | 东京城林业局湿地区 | 25132.16 | 884.95 | 11258.42 | 12322.74 | 666.05 |
| | 八面通林业局湿地区 | 8147.27 | 43.77 | 0 | 8103.50 | 0 |
| | 穆棱林业局湿地区 | 5989.77 | 453.99 | 0 | 5511.55 | 24.23 |

（续）

| 地　市 | 湿地区 | 湿地面积 | 河流湿地 | 湖泊湿地 | 沼泽湿地 | 人工湿地 |
|---|---|---|---|---|---|---|
| 森　工 | 绥阳林业局湿地区 | 6735.76 | 1500.40 | 0 | 5235.36 | 0 |
| | 清河林业局湿地区 | 7795.17 | 171.78 | 0 | 7623.39 | 0 |
| | 迎春林业局湿地区 | 2655.24 | 394.44 | 0 | 1890.19 | 370.61 |
| | 东方红林业局湿地区 | 17407.40 | 209.10 | 0 | 16624.05 | 574.25 |
| | 桦南林业局湿地区 | 10039.37 | 48.03 | 0 | 9833.68 | 157.66 |
| | 双鸭山林业局湿地区 | 5228.51 | 0 | 0 | 4702.20 | 526.31 |
| | 鹤北林业局湿地区 | 31061.73 | 450.66 | 0 | 30611.07 | 0 |
| | 鹤立林业局湿地区 | 5698.53 | 0 | 0 | 5660.70 | 37.83 |
| 大兴安岭 | 黑龙江干流湿地区 | 225716.20 | 22271.82 | 166.86 | 202785.88 | 491.64 |
| | 呼玛河湿地区 | 249281.37 | 14194.65 | 32.00 | 235026.47 | 28.25 |
| | 嫩江源头湿地区 | 892.67 | 79.21 | 7.69 | 805.77 | 0 |

*：森工，指黑龙江省森工系统的国有林区，下同。

## 5　各行政区湿地类及面积

各行政区湿地类面积如图2-4、见表2-5。

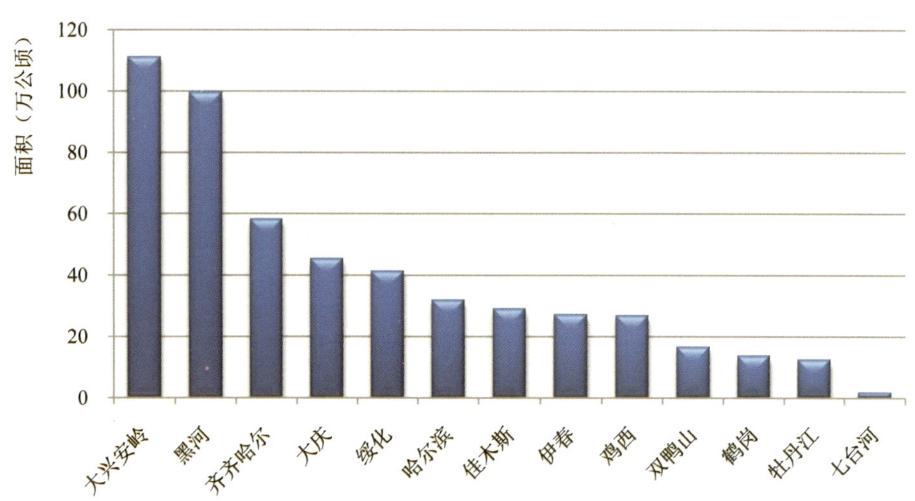


图 **2-4**　黑龙江省各行政区湿地类面积

**表 2-5　各行政区湿地类面积分布情况**（公顷）

| 各行政区 | 湿地面积 | 河流湿地 | 湖泊湿地 | 沼泽湿地 | 人工湿地 |
|---|---|---|---|---|---|
| 哈尔滨 | 317387.64 | 195522.77 | 4016.54 | 88162.24 | 29686.09 |
| 齐齐哈尔 | 581370.48 | 85213.48 | 27447.91 | 432079.37 | 36629.72 |
| 牡丹江 | 123507.54 | 20111.94 | 12061.45 | 76519.78 | 14814.37 |
| 佳木斯 | 290239.40 | 94186.68 | 3959.79 | 179374.90 | 12718.03 |

（续）

| 各行政区 | 湿地面积 | 河流湿地 | 湖泊湿地 | 沼泽湿地 | 人工湿地 |
|---|---|---|---|---|---|
| 大 庆 | 453930.09 | 43544.11 | 138925.39 | 259009.05 | 12451.54 |
| 绥 化 | 413243.05 | 54621.91 | 36567.18 | 302629.61 | 19424.35 |
| 鸡 西 | 267557.41 | 13262.22 | 127657.58 | 107917.67 | 18719.94 |
| 鹤 岗 | 135785.62 | 34546.58 | 529.90 | 97074.93 | 3634.21 |
| 伊 春 | 270772.06 | 31136.99 | 492.64 | 238883.21 | 259.22 |
| 双鸭山 | 163569.67 | 11702.45 | 1997.81 | 136767.36 | 13102.05 |
| 七台河 | 18710.21 | 5550.56 | 0 | 8540.84 | 4618.81 |
| 黑 河 | 994997.50 | 93272.47 | 2036.62 | 876740.70 | 22947.71 |
| 大兴安岭 | 1111696.07 | 50830.47 | 322.78 | 1060022.93 | 519.89 |

# 第二节 湿地分布规律

## 1 湿地资源特点

（1）湿地类型比较全面。黑龙江省是具有湿润、半湿润和半干旱气候分布的省份，湿地资源丰富。

（2）湿地成因多样。河流湿地主要成因是地表水径流切割；湖泊湿地主要成因有河成湖、由地壳沉降成湖、火山堰塞湖；沼泽湿地主要是由低洼地积水和内流河漫散形成；人工湿地主要成因是通过人工挖掘、拦河筑坝形成。

（3）湿地水源补给，绝大部分为大气降水补给。其中，雨水补给约占年补给量的50%～70%；地下水补给约占20%～30%；季节性冰雪融水补给一般占10%～15%。

（4）湿地斑块面积大且集中连片，沼泽、河流湿地比重大。

（5）湿地受威胁状况。面积缩减主要因素是围垦和气候干旱；湿地功能下降主要因素地表水污染。

（6）从湿地生物多样性上看，黑龙江省大部分野生动植物生活在湿地区域内，特别是受保护的野生动植物95%的数量在湿地区域内。

## 2 湿地资源分布规律

### 2.1 空间位置分布

黑龙江省湿地资源在空间位置分布上是由四大区域组成，即大兴安岭东部林区、松嫩平原、三江平原及森工国有林区。

## 2.2 主要湿地类型分布

永久性河流：主要分布在黑龙江水系、嫩江水系、松花江水系、乌苏里江水系和绥芬河水系中。

洪泛平原湿地：主要分布在洪水泛滥的河滩、河心洲、河谷、季节性泛滥的草地以及保持常年或季节性被水浸润的内陆三角洲和主要泄洪、滞洪区。

永久性淡水湖：主要分布在西部的松嫩平原和东部的三江平原上，个别分布在浅山区，如镜泊湖、五大连池。面积大的有中俄界湖——兴凯湖(位于密山市境内)，以及虎林市的东北泡等地。

永久性咸水湖：主要分布在黑龙江省西部的松嫩平原，最大咸水湖为位于杜尔伯特蒙古族自治县的连环泡、龙虎泡，安达市东部的青肯泡等。

季节性淡水湖：主要分布在扎龙、泰来、黑瞎子岛、绥化等16个湿地区内。

季节性咸水湖：主要分布在大庆、安达、肇源、杜蒙等9个湿地区内。

草本沼泽：主要分布在三江平原和松嫩平原的低洼地及河流沿岸湖泊周围。

沼泽化草甸：主要分布在平原地区、山地的河漫滩和林缘地带。

季节性咸水沼泽：本湿地型主要分布在松嫩平原安达、杜蒙、大庆、肇州、肇源等10个湿地区。

灌丛沼泽：主要分布在本调查区的宽阔河谷、平缓山坡的低洼地及三江平原和松嫩平原的局部地段。

森林沼泽：主要分布在大兴安岭东部林区、森工国有林区、黑河地区及三江平原的河流两岸平坦谷地和低湿地。

库塘湿地：主要分布是1033座水库的水面。

运河/输水河：此湿地型主要分布在县市零散调查湿地区内。

水产养殖场：主要分布在齐齐哈尔、泰来、甘南、克山、克东、勤得利湿地自然保护区19个湿地区内。

## 2.3 湿地土地权属分布情况

国有湿地土地面积386.20万公顷，占湿地面积75.09%；集体所有湿地土地面积128.23万公顷，占湿地面积24.91%。

# 3 河流湿地

## 3.1 各湿地型及面积

河流湿地是调查区内长度大于5米，宽度大于10米(即面积大于5公顷)的河流，河流湿地类划分为永久性河流、季节性或间歇性河流及洪泛平原湿地3个湿地型，总面积73.35万公顷，占湿地面积的14.26%。

黑龙江省河流湿地面积及比例构成，如图2-5。

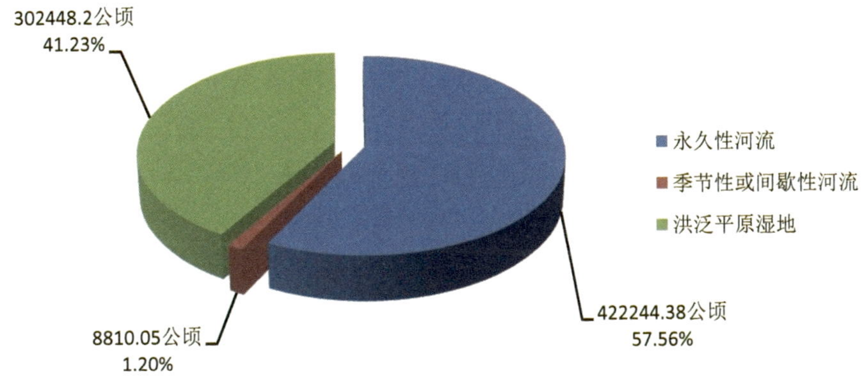


图 **2-5**　黑龙江省河流湿地面积及比例构成图

### 3.1.1　永久性河流

永久性河流，指常年有河水径流的河流，包括河床部分。本次调查总面积为42.22万公顷，占河流湿地面积的57.56%。主要分布在黑龙江水系、嫩江水系、松花江水系、乌苏里江水系和绥芬河水系中。

### 3.1.2　季节性或间歇性河流

指一年中只有季节性(雨季)或间歇性有水径流的河流，面积0.88万公顷，占河流湿地面积的1.20%。

### 3.1.3　洪泛平原湿地

洪泛平原湿地，是指在丰水季节由洪水泛滥的河滩、河心洲、河谷，季节性泛滥的草地，以及保持常年或季节性被水浸润的内陆三角洲和主要泄洪、滞洪区。本次调查此湿地类型面积30.24万公顷，占河流湿地面积的41.23%。

## 3.2　各流域的河流湿地型及面积

黑龙江省境内河流众多，多为外流河，只在松嫩平原有半内流河分布；内流河只在安达周围有若干短小河流分布，但其总流域面积尚不足6万平方公里，只占全省总土地面积的0.13%，本次调查忽略未计。

在松花江一级流域中河流湿地面积73.35万公顷。分别为二级流域的黑龙江干流面积16.96万公顷；嫩江流域面积14.97万公顷；松花江(三岔口以下)流域面积37.75万公顷；乌苏里江流域面积3.31万公顷；绥芬河流域面积0.36万公顷。各流域河流湿地面积见表2-6。

**表2-6　各流域河流湿地面积**(公顷)

| 流　域 | 合　计 | 永久性河流 | 季节性或间歇性河流 | 洪泛平原湿地 |
|---|---|---|---|---|
| 合　计 | 733502.63 | 422244.38 | 8810.05 | 302448.20 |
| 黑龙江干流 | 169582.84 | 147851.41 | 1907.03 | 19824.40 |
| 尼尔基以上 | 39142.22 | 17087.60 | 1947.93 | 20106.69 |
| 尼尔基至江桥 | 85486.58 | 28243.60 | 743.55 | 56499.43 |

（续）

| 流 域 | 合 计 | 永久性河流 | 季节性或间歇性河流 | 洪泛平原湿地 |
|---|---|---|---|---|
| 江桥以下 | 25098.47 | 6584.90 | 0 | 18513.57 |
| 计 | 149727.27 | 51916.10 | 2691.48 | 95119.69 |
| 通河至佳木斯干流区间 | 43611.46 | 26744.64 | 58.22 | 16808.60 |
| 哈尔滨至通河 | 144473.69 | 86351.76 | 526.65 | 57595.28 |
| 佳木斯以下 | 56439.99 | 35291.90 | 2259.92 | 18888.17 |
| 牡丹江 | 14794.48 | 14692.53 | 0 | 101.95 |
| 三岔口至哈尔滨 | 118149.86 | 24138.36 | 43.78 | 93967.72 |
| 计 | 377469.48 | 187219.19 | 2888.57 | 187361.72 |
| 穆棱河口以下 | 23559.73 | 22111.39 | 1305.95 | 142.39 |
| 穆棱河口以上 | 9574.90 | 9557.88 | 17.02 | 0 |
| 计 | 33134.63 | 31669.27 | 1322.97 | 142.39 |
| 绥芬河 | 3588.41 | 3588.41 | 0 | 0 |

## 3.3 各湿地区的河流湿地型及面积

各湿地区的河流湿地型及面积见表2-7、表2-8。

**表2-7 单独区划湿地区的河流湿地型及面积**(公顷)

| 湿地区 | 合 计 | 永久性河流 | 季节性或间歇性河流 | 洪泛平原湿地 |
|---|---|---|---|---|
| 黑龙江扎龙国家级自然保护区湿地区 | 0 | 0 | 0 | 0 |
| 黑龙江兴凯湖国家级自然保护区湿地区 | 940.48 | 940.48 | 0 | 0 |
| 黑龙江三江国家级自然保护区湿地区 | 10740.45 | 10547.25 | 0 | 193.20 |
| 黑龙江洪河国家级自然保护区湿地区 | 0 | 0 | 0 | 0 |
| 黑龙江八岔岛国家级自然保护区湿地区 | 7217.66 | 4866 | 668.22 | 1683.44 |
| 黑龙江宝清七星河国家级自然保护区湿地区 | 0 | 0 | 0 | 0 |
| 黑龙江珍宝岛湿地国家级自然保护区湿地区 | 2018.59 | 2018.59 | 0 | 0 |
| 黑龙江挠力河国家级自然保护区湿地区 | 3751.72 | 2445.77 | 1305.95 | 0 |
| 黑龙江嘟噜河湿地自然保护区湿地区 | 1246.04 | 958.16 | 0 | 287.88 |
| 黑龙江小北湖省级自然保护区湿地区 | 73.02 | 73.02 | 0 | 0 |
| 黑龙江五大连池山口省级自然保护区湿地区 | 0 | 0 | 0 | 0 |
| 黑龙江大佳河省级自然保护区湿地区 | 2731.20 | 2731.20 | 0 | 0 |
| 黑龙江桦川湿地省级自然保护区湿地区 | 5202.84 | 4643.71 | 394.95 | 164.18 |

（续）

| 湿地区 | 合 计 | 永久性河流 | 季节性或间歇性河流 | 洪泛平原湿地 |
|---|---|---|---|---|
| 黑龙江三环泡省级自然保护区湿地区 | 429.76 | 429.76 | 0.00 | 0.00 |
| 黑龙江省宝清东升自然保护区湿地区 | 0 | 0 | 0 | 0 |
| 黑龙江集贤安邦河湿地自然保护区湿地区 | 71.41 | 71.41 | 0 | 0 |
| 黑龙江北安省级自然保护区湿地区 | 0 | 0 | 0 | 0 |
| 黑龙江大庆龙凤湿地自然保护区湿地区 | 0 | 0 | 0 | 0 |
| 黑龙江乌苏里江自然保护区湿地区 | 406.53 | 406.53 | 0 | 0 |
| 黑龙江勤得利自然保护区湿地区 | 8542.00 | 8542.00 | 0 | 0 |
| 黑龙江省虎口湿地省级自然保护区湿地区 | 1736.64 | 1736.64 | 0 | 0 |
| 黑龙江哈拉海自然保护区湿地区 | 0 | 0 | 0 | 0 |
| 黑龙江水莲省级自然保护区湿地区 | 0 | 0 | 0 | 0 |
| 黑龙江乌裕尔河省级自然保护区湿地区 | 591.55 | 591.55 | 0 | 0 |
| 黑龙江细鳞河自然保护区湿地区 | 78.15 | 78.15 | 0 | 0 |
| 黑龙江公别拉河省级自然保护区湿地区 | 0 | 0 | 0 | 0 |
| 黑龙江肇东沿江省级自然保护区湿地区 | 29687.47 | 2837.13 | 0 | 26850.34 |
| 黑龙江省黑鱼泡省级自然保护区湿地区 | 8876.28 | 1944.2 | 621.14 | 6310.94 |
| 黑龙江绥滨两江湿地省级自然保护区湿地区 | 20196.82 | 15921.89 | 0 | 4274.93 |
| 黑龙江明水湿地省级自然保护区湿地区 | 0 | 0 | 0 | 0 |
| 黑龙江讷谟尔河湿地省级自然保护区湿地区 | 633.11 | 352.49 | 0 | 280.62 |
| 黑龙江乌裕尔河—双阳河省级自然保护区湿地区 | 2789.42 | 429.09 | 0 | 2360.33 |
| 黑龙江佳木斯沿江湿地省级保护区湿地区 | 7443.88 | 5588.34 | 0 | 1855.54 |
| 黑龙江西洼荒湿地省级自然保护区湿地区 | 0 | 0 | 0 | 0 |
| 黑龙江肇源沿江湿地自然保护区湿地区 | 25075.12 | 7465.14 | 43.78 | 17566.20 |
| 黑龙江富锦沿江湿地自然保护区湿地区 | 10279.54 | 7281.52 | 0 | 2998.02 |
| 黑龙江嘉荫平阳河湿地自然保护区湿地区 | 2705.20 | 2048.52 | 224.48 | 432.20 |
| 黑龙江呼兰河口湿地省级自然保护区湿地区 | 16800.83 | 15310.68 | 0 | 1490.15 |
| 黑龙江孙吴红旗湿地自然保护区湿地区 | 19.99 | 19.99 | 0 | 0 |
| 黑龙江黑瞎子岛湿地省级自然保护区 | 5727.57 | 5684.99 | 0 | 42.58 |
| 黑龙江白渔泡湿地公园湿地区 | 0 | 0 | 0 | 0 |
| 黑龙江太阳岛湿地公园湿地区 | 6769.90 | 1450.95 | 125.25 | 5193.70 |
| 黑龙江五大连池省级自然保护区湿地区 | 10343.78 | 90.11 | 90.11 | 0 |
| 黑龙江美人湖自然保护区(拟建)湿地区 | 1648.68 | 72.47 | 72.47 | 0 |
| 黑龙江乌伊岭自然保护区湿地区 | 6948.60 | 0 | 0 | 0 |
| 黑龙江新青白头鹤自然保护区湿地区 | 14580.21 | 11.71 | 11.71 | 0 |

（续）

| 湿地区 | 合 计 | 永久性河流 | 季节性或间歇性河流 | 洪泛平原湿地 |
|---|---|---|---|---|
| 黑龙江红星湿地自然保护区湿地区 | 33649.77 | 925.99 | 925.99 | 0 |
| 黑龙江翠北湿地自然保护区湿地区 | 6695.68 | 17.99 | 17.99 | 0 |
| 黑龙江库尔滨河湿地自然保护区湿地区 | 27986.02 | 94.41 | 94.41 | 0 |
| 黑龙江友好湿地自然保护区湿地区 | 13443.93 | 0 | 0 | 0 |
| 黑龙江大沾河湿地自然保护区湿地区 | 263.64 | 263.64 | 0 | 0 |
| 黑龙江南北河自然保护区湿地区 | 350.31 | 350.31 | 0 | 0 |
| 黑龙江努敏河湿地自然保护区湿地区 | 0 | 0 | 0 | 0 |
| 黑龙江带岭碧水秋沙鸭自然保护区湿地区 | 91.67 | 91.67 | 0 | 0 |
| 黑龙江东方红湿地自然保护区湿地区 | 1630.36 | 1630.36 | 0 | 0 |
| 汤旺河湿地区 | 7910.42 | 7392.05 | 0 | 518.37 |
| 黑龙江新青国家级湿地公园湿地区 | 41.52 | 41.52 | 0 | 0 |
| 黑龙江干流湿地区 | 9524.81 | 9524.81 | 0 | 0 |
| 呼玛河湿地区 | 4385.35 | 4385.35 | 0 | 0 |
| 嫩江源头湿地区 | 374.63 | 374.63 | 0 | 0 |

**表 2-8 零星湿地区河流湿地型及面积**(公顷)

| 地 市 | 湿地区 | 合 计 | 永久性河流 | 季节性或间歇性河流 | 洪泛平原湿地 |
|---|---|---|---|---|---|
| 哈尔滨 | 哈尔滨市零星湿地区 | 12169.88 | 7162.27 | 0 | 5007.61 |
| | 呼兰区零星湿地区 | 10249.72 | 657.35 | 0 | 9592.37 |
| | 阿城区零星湿地区 | 3038.17 | 3038.17 | 0 | 0 |
| | 依兰县零星湿地区 | 12741.58 | 10518.88 | 0 | 2222.70 |
| | 方正县零星湿地区 | 12472.02 | 6630.05 | 0 | 5841.97 |
| | 宾县零星湿地区 | 13875.59 | 8285.76 | 0 | 5589.83 |
| | 巴彦县零星湿地区 | 11288.31 | 4406.32 | 0 | 6881.99 |
| | 木兰县零星湿地区 | 14955.27 | 5433.49 | 157.18 | 9364.60 |
| | 通河县零星湿地区 | 11279.01 | 8659.20 | 0 | 2619.81 |
| | 延寿县零星湿地区 | 4755.07 | 3896.40 | 0 | 858.67 |
| | 双城市零星湿地区 | 29393.78 | 5200.90 | 0 | 24192.88 |
| | 尚志市零星湿地区 | 3007.61 | 3007.61 | 0 | 0 |
| | 五常市零星湿地区 | 31027.10 | 8518.64 | 0 | 22508.46 |

（续）

| 地　市 | 湿地区 | 合　计 | 永久性河流 | 季节性或间歇性河流 | 洪泛平原湿地 |
|---|---|---|---|---|---|
| 齐齐哈尔 | 齐齐哈尔市零星湿地区 | 15979.26 | 8581.51 | 0 | 7397.75 |
| | 龙江县零星湿地区 | 9795.24 | 1884.83 | 0 | 7910.41 |
| | 依安县零星湿地区 | 498.74 | 498.74 | 0 | 0 |
| | 泰来县零星湿地区 | 10660.96 | 5898.75 | 0 | 4762.21 |
| | 甘南县零星湿地区 | 17232.83 | 3436.10 | 743.55 | 13053.18 |
| | 富裕县零星湿地区 | 1897.72 | 1897.72 | 0 | 0 |
| | 克山县零星湿地区 | 12336.39 | 1301.87 | 0 | 11034.52 |
| | 克东县零星湿地区 | 10276.79 | 576.38 | 0 | 9700.41 |
| | 拜泉县零星湿地区 | 259.96 | 259.96 | 0 | 0 |
| | 讷河市零星湿地区 | 2261.51 | 2261.51 | 0 | 0 |
| 鸡　西 | 鸡西市零星湿地区 | 1697.03 | 1680.01 | 17.02 | 0 |
| | 鸡东县零星湿地区 | 1354.53 | 1354.53 | 0 | 0 |
| | 虎林市零星湿地区 | 2275.50 | 2275.50 | 0 | 0 |
| | 密山市零星湿地区 | 1443.99 | 1443.99 | 0 | 0 |
| 鹤　岗 | 鹤岗市零星湿地区 | 592.27 | 592.27 | 0 | 0 |
| | 萝北县零星湿地区 | 10613.91 | 9677.75 | 0 | 936.16 |
| | 绥滨县零星湿地区 | 1605.08 | 1289.46 | 69.03 | 246.59 |
| 双鸭山 | 双鸭山市零星湿地区 | 671.87 | 671.87 | 0 | 0 |
| | 集贤县零星湿地区 | 479.74 | 479.74 | 0 | 0 |
| | 友谊县零星湿地区 | 0 | 0 | 0 | 0 |
| | 宝清县零星湿地区 | 1514.07 | 1514.07 | 0 | 0 |
| | 饶河县零星湿地区 | 2006.79 | 2006.79 | 0 | 0 |
| 大　庆 | 大庆市零星湿地区 | 0 | 0 | 0 | 0 |
| | 肇州县零星湿地区 | 0 | 0 | 0 | 0 |
| | 肇源县零星湿地区 | 3146.16 | 3146.16 | 0 | 0 |
| | 林甸县零星湿地区 | 0 | 0 | 0 | 0 |
| | 杜尔伯特蒙古族自治县零星湿地区 | 15322.83 | 2356.53 | 0 | 12966.30 |
| 伊　春 | 嘉荫县零星湿地区 | 18914.69 | 15695.49 | 0 | 3219.20 |
| | 铁力市零星湿地区 | 866.41 | 866.41 | 0 | 0 |
| 佳木斯 | 佳木斯市零星湿地区 | 1697.25 | 1269.30 | 15.52 | 412.43 |
| | 桦南县零星湿地区 | 8258.73 | 1220.77 | 0 | 7037.96 |

（续）

| 地　市 | 湿地区 | 合　计 | 永久性河流 | 季节性或间歇性河流 | 洪泛平原湿地 |
| --- | --- | --- | --- | --- | --- |
| 佳木斯 | 桦川县零星湿地区 | 1624.01 | 105.56 | 0 | 1518.45 |
| | 汤原县零星湿地区 | 5699.97 | 2423.73 | 42.70 | 3233.54 |
| | 抚远县零星湿地区 | 742.52 | 742.52 | 0 | 0 |
| | 同江市零星湿地区 | 11200.35 | 10204.31 | 996.04 | 0 |
| | 富锦市零星湿地区 | 0 | 0 | 0 | 0 |
| 七台河 | 七台河市零星湿地区 | 1268.01 | 679.11 | 182.19 | 406.71 |
| | 勃利县零星湿地区 | 4282.55 | 1970.17 | 1010.90 | 1301.48 |
| 牡丹江 | 牡丹江市零星湿地区 | 1969.02 | 1939.72 | 0 | 29.30 |
| | 东宁县零星湿地区 | 1917.57 | 1917.57 | 0 | 0 |
| | 林口县零星湿地区 | 1566.10 | 1566.10 | 0 | 0 |
| | 绥芬河市零星湿地区 | 170.44 | 170.44 | 0 | 0 |
| | 海林市零星湿地区 | 1782.31 | 1782.31 | 0 | 0 |
| | 宁安市零星湿地区 | 3776.51 | 3750.24 | 0 | 26.27 |
| | 穆棱市零星湿地区 | 1387.11 | 1387.11 | 0 | 0 |
| 黑　河 | 爱辉区零星湿地区 | 11190.37 | 11190.37 | 0 | 0 |
| | 嫩江县零星湿地区 | 18832.97 | 14907.46 | 1947.93 | 1977.58 |
| | 逊克县零星湿地区 | 15598.60 | 14836.67 | 0 | 761.93 |
| | 孙吴县零星湿地区 | 8130.57 | 3088.87 | 0 | 5041.70 |
| | 北安市零星湿地区 | 9311.69 | 914.58 | 0 | 8397.11 |
| | 五大连池市零星湿地区 | 26932.03 | 1449.53 | 0 | 25482.50 |
| 绥　化 | 绥化市零星湿地区 | 6745.60 | 4545.19 | 244.22 | 1956.19 |
| | 望奎县零星湿地区 | 3632.59 | 1225.69 | 0 | 2406.90 |
| | 兰西县零星湿地区 | 4568.37 | 3111.81 | 0 | 1456.56 |
| | 青冈县零星湿地区 | 1498.49 | 722.69 | 0 | 775.80 |
| | 庆安县零星湿地区 | 1718.99 | 713.99 | 0 | 1005.00 |
| | 明水县零星湿地区 | 1071.47 | 901.09 | 0 | 170.38 |
| | 绥棱县零星湿地区 | 2400.98 | 2400.98 | 0 | 0 |
| | 安达市零星湿地区 | 0 | 0 | 0 | 0 |
| | 肇东市零星湿地区 | 0 | 0 | 0 | 0 |
| | 海伦市零星湿地区 | 2994.42 | 2643.44 | 0 | 350.98 |

（续）

| 地　市 | 湿地区 | 合　计 | 永久性河流 | 季节性或间歇性河流 | 洪泛平原湿地 |
|---|---|---|---|---|---|
| 森　工 | 乌伊岭林业局湿地区 | 168.07 | 168.07 | 0 | 0 |
| | 新青林业局湿地区 | 0 | 0 | 0 | 0 |
| | 红星林业局湿地区 | 0 | 0 | 0 | 0 |
| | 五营林业局湿地区 | 0 | 0 | 0 | 0 |
| | 桃山林业局湿地区 | 289.26 | 289.26 | 0 | 0 |
| | 铁力林业局湿地区 | 83.81 | 83.81 | 0 | 0 |
| | 双丰林业局湿地区 | 0 | 0 | 0 | 0 |
| | 沾河林业局湿地区 | 1345.73 | 1345.73 | 0 | 0 |
| | 通北林业局湿地区 | 0 | 0 | 0 | 0 |
| | 绥棱林业局湿地区 | 303.53 | 303.53 | 0 | 0 |
| | 兴隆林业局湿地区 | 319.48 | 319.48 | 0 | 0 |
| | 方正林业局湿地区 | 115.87 | 115.87 | 0 | 0 |
| | 苇河林业局湿地区 | 286.52 | 286.52 | 0 | 0 |
| | 亚布力林业局湿地区 | 573.69 | 573.69 | 0 | 0 |
| | 山河屯林业局湿地区 | 347.46 | 347.46 | 0 | 0 |
| | 林口林业局湿地区 | 2669.58 | 2669.58 | 0 | 0 |
| | 柴河林业局湿地区 | 656.58 | 656.58 | 0 | 0 |
| | 海林林业局湿地区 | 173.61 | 173.61 | 0 | 0 |
| | 大海林林业局湿地区 | 971.11 | 971.11 | 0 | 0 |
| | 东京城林业局湿地区 | 884.95 | 838.57 | 0 | 46.38 |
| | 八面通林业局湿地区 | 43.77 | 43.77 | 0 | 0 |
| | 穆棱林业局湿地区 | 453.99 | 453.99 | 0 | 0 |
| | 绥阳林业局湿地区 | 1500.40 | 1500.40 | 0 | 0 |
| | 清河林业局湿地区 | 171.78 | 171.78 | 0 | 0 |
| | 迎春林业局湿地区 | 394.44 | 296.05 | 0 | 98.39 |
| | 东方红林业局湿地区 | 209.10 | 165.10 | 0 | 44.00 |
| | 桦南林业局湿地区 | 48.03 | 48.03 | 0 | 0 |
| | 双鸭山林业局湿地区 | 0 | 0 | 0 | 0 |
| | 鹤北林业局湿地区 | 450.66 | 450.66 | 0 | 0 |
| | 鹤立林业局湿地区 | 0 | 0 | 0 | 0 |

（续）

| 地 市 | 湿地区 | 合 计 | 永久性河流 | 季节性或间歇性河流 | 洪泛平原湿地 |
|---|---|---|---|---|---|
| 大兴安岭 | 黑龙江干流湿地区 | 22271.82 | 22171.40 | 0 | 100.42 |
| | 呼玛河湿地区 | 14194.65 | 14194.65 | 0 | 0 |
| | 嫩江源头湿地区 | 79.21 | 79.21 | 0 | 0 |

## 3.4 各行政区的河流湿地型及面积

各行政区的河流湿地型及面积如图2-6、见表2-9。

**表2-9 各行政区河流湿地型及面积**(公顷)

| 行政单位 | 合 计 | 永久性河流 | 季节性或间歇性河流 | 洪泛平原湿地 |
|---|---|---|---|---|
| 哈尔滨 | 193823.84 | 92176.67 | 282.43 | 101364.74 |
| 齐齐哈尔 | 85213.48 | 27970.50 | 743.55 | 56499.43 |
| 牡丹江 | 12642.08 | 12586.51 | 0 | 55.57 |
| 佳木斯 | 94138.65 | 65919.43 | 2768.94 | 25450.28 |
| 大 庆 | 43544.11 | 12967.83 | 43.78 | 30532.50 |
| 双鸭山 | 11264.01 | 9988.43 | 1275.58 | 0 |
| 鹤 岗 | 34318.22 | 28503.63 | 69.03 | 5745.56 |
| 鸡 西 | 11466.76 | 11449.74 | 17.02 | 0 |
| 伊 春 | 22486.30 | 18610.42 | 224.48 | 3651.40 |
| 七台河 | 5550.56 | 2649.28 | 1193.09 | 1708.19 |
| 黑 河 | 90106.33 | 46497.58 | 1947.93 | 41660.82 |
| 绥 化 | 54318.38 | 19102.01 | 244.22 | 34972.15 |
| 大兴安岭 | 50830.47 | 50730.05 | 0 | 100.42 |
| 森 工 | 23799.44 | 23092.30 | 0 | 707.14 |

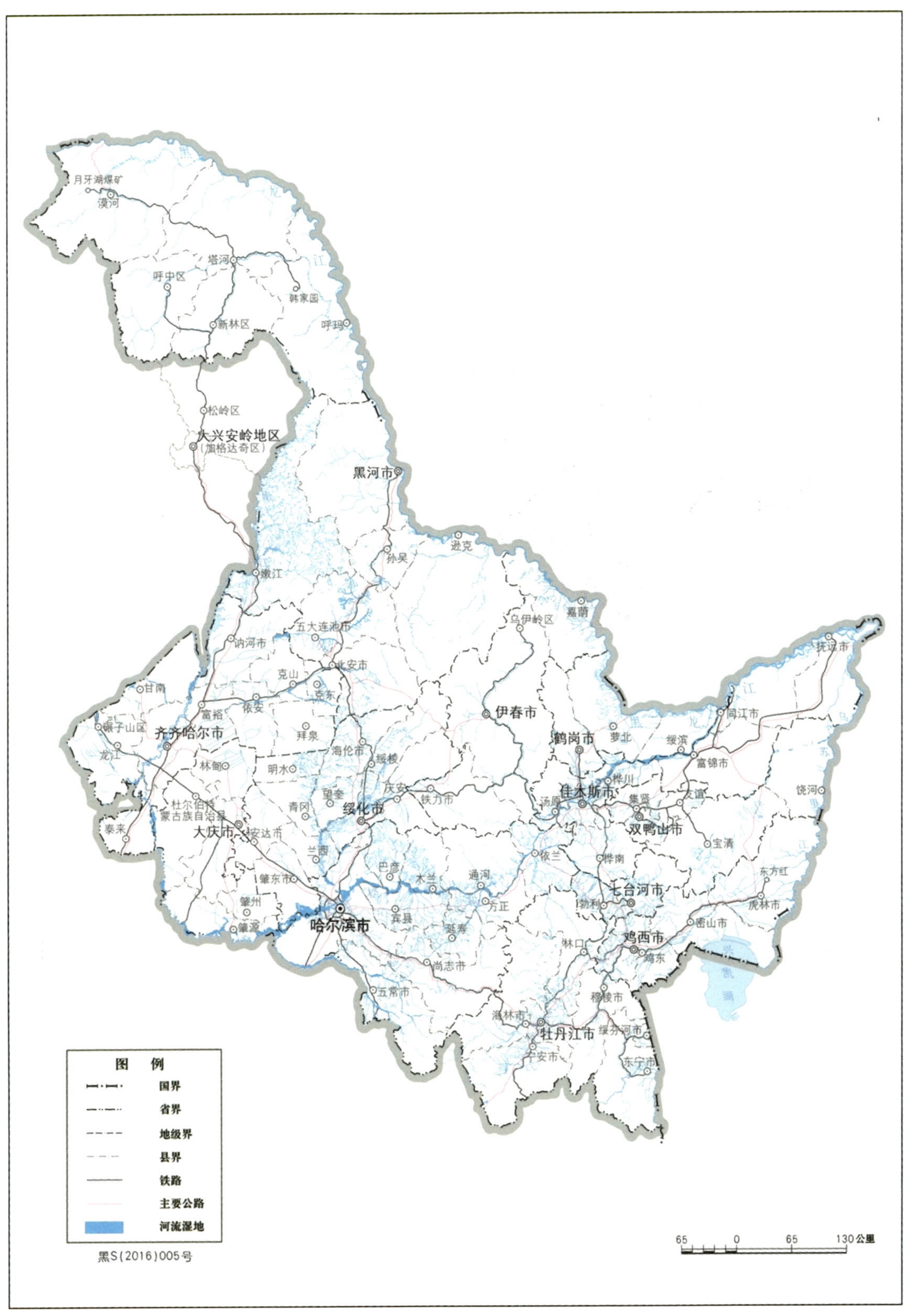


图 2-6　黑龙江省河流湿地分布图

## 4 湖泊湿地

湖泊是指湖盆、湖水和水中所含物质——矿物质、溶解质、有机质、水生物等组成的统一体。湖泊湿地按积水时间划分为永久性和季节性两类；按水矿化度分为淡水湖和咸水湖。本次调查对此类湿地划分为4个湿地型，即永久性淡水湖泊、永久性咸水湖泊、季节性淡水湖泊和季节性咸水湖泊。该类湿地面积35.60万公顷，占湿地面积的6.92%。

### 4.1 各湿地型及面积

黑龙江省湖泊湿地面积及比例构成如图2-7。

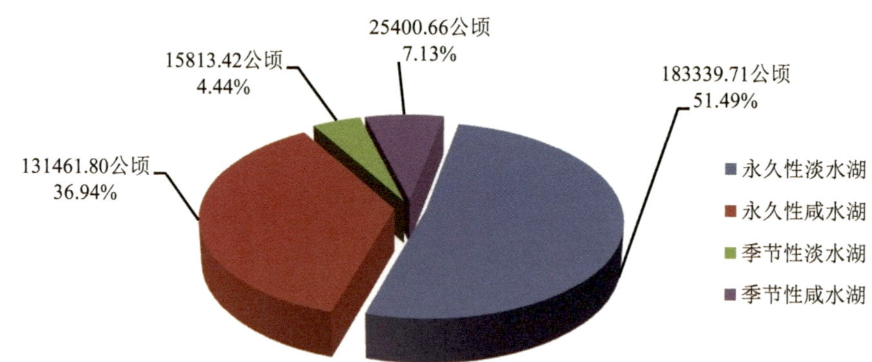


图**2-7** 黑龙江省湖泊湿地面积及比例构成图

#### 4.1.1 永久性淡水湖

永久性淡水湖泊，指长年积水的淡水湖泊，调查区内的淡水湖泊主要分布西部的松嫩平原和东部的三江平原上，个别分布在浅山区，如五大连池。面积最大的为中俄界湖——兴凯湖，位于密山市境内。永久性淡水湖湿地总面积为18.33万公顷，占湖泊湿地面积的51.49%。

#### 4.1.2 永久性咸水湖

永久性咸水湖泊，是指由微咸水、咸水及盐水组成永久性地表水体，调查区内永久性咸水湖泊主要分布在黑龙江省西部的松嫩平原，由于高差小排水不畅，在河迹洼地和洼地积水而成湖泊，其中较大型的咸水湖位于松嫩沉降盆地中心最洼处，系构造断陷形成。最大咸水湖为位于杜尔伯特蒙古族自治县的连环泡、龙虎泡，安达市东部的青肯泡等。这些湖泊组成黑龙江省西部平原湖泊泡沼群，星罗棋布般的镶嵌在平原上，其水质矿化度较高。本次调查永久性咸水湖面积为13.15万公顷，占湖泊湿地的36.94%。

#### 4.1.3 季节性淡水湖

季节性淡水湖，是指由淡水组成的季节性或间歇性淡水湖(泛滥平原湖)。调查区内季节性淡水湖泊主要分布在扎龙、泰来、黑瞎子岛、绥化等16个湿地区内。本次调查季节性淡水湖面积为1.58万公顷，占湖泊湿地的4.44%。

#### 4.1.4 季节性咸水湖

季节性咸水湖，是指由微咸水、咸水及盐水组成的季节性或间歇性湖泊。调查区内季节性咸水湖泊主要分布在大庆、安达、肇源、杜蒙等9个湿地区内。本次调查季节性咸水湖面积为2.54万公顷，占湖泊湿地的7.13%。

## 4.2　各流域的湖泊湿地型及面积

在松花江一级流域中湖泊湿地面积35.60万公顷。分别为二级流域的黑龙江干流面积0.45万公顷；嫩江流域面积17.41万公顷；松花江(三岔口以下)流域面积4.76万公顷；乌苏里江流域面积12.99万公顷。各流域湖泊湿地面积见表2-10。

**表2-10　各流域湖泊湿地型及面积**(公顷)

| 流　域 | 合　计 | 永久性淡水湖 | 永久性咸水湖 | 季节性淡水湖 | 季节性咸水湖 |
|---|---|---|---|---|---|
| 合　计 | 356015.59 | 183339.71 | 131461.80 | 15813.42 | 25400.66 |
| 黑龙江干流 | 4455.17 | 3353.42 | 0 | 1101.75 | 0 |
| 尼尔基以上 | 2119.21 | 2119.21 | 0 | 0 | 0 |
| 尼尔基至江桥 | 33239.14 | 19509.51 | 0 | 13513.56 | 216.07 |
| 江桥以下 | 138710.89 | 2150.52 | 115396.98 | 0 | 21163.39 |
| 计 | 174069.24 | 23779.24 | 115396.98 | 13513.56 | 21379.46 |
| 通河至佳木斯干流区间 | 66.45 | 66.45 | 0 | 0 | 0 |
| 哈尔滨至通河 | 4150.49 | 3167.27 | 0 | 983.22 | 0 |
| 佳木斯以下 | 474.07 | 383.17 | 0 | 90.90 | 0 |
| 牡丹江 | 12061.45 | 11951.58 | 0 | 109.87 | 0 |
| 三岔口至哈尔滨 | 30833.16 | 10747.14 | 16064.82 | 0 | 4021.20 |
| 计 | 47585.62 | 26315.61 | 16064.82 | 1183.99 | 4021.20 |
| 穆棱河口以下 | 4071.48 | 4057.36 | 0 | 14.12 | 0 |
| 穆棱河口以上 | 125834.08 | 125834.08 | 0 | 0 | 0 |
| 计 | 129905.56 | 129891.44 | 0 | 14.12 | 0 |
| 绥芬河 | 0 | 0 | 0 | 0 | 0 |

## 4.3　各湿地区的湖泊湿地型及面积

各湿地区的湖泊湿地型及面积见表2-11、表2-12。

**表2-11　单独区划湿地区的湖泊湿地型及面积**(公顷)

| 湿地区 | 合　计 | 永久性淡水湖 | 季节性淡水湖 |
|---|---|---|---|
| 黑龙江扎龙国家级自然保护区湿地区 | 12147.70 | 0.00 | 12147.70 |
| 黑龙江兴凯湖国家级自然保护区湿地区 | 125731.16 | 125731.16 | 0 |
| 黑龙江三江国家级自然保护区湿地区 | 1707.87 | 1707.87 | 0 |
| 黑龙江洪河国家级自然保护区湿地区 | 17.24 | 17.24 | 0 |

（续）

| 湿地区 | 合　计 | 永久性淡水湖 | 季节性淡水湖 |
|---|---|---|---|
| 黑龙江八岔岛国家级自然保护区湿地区 | 101.66 | 0 | 101.66 |
| 黑龙江宝清七星河国家级自然保护区湿地区 | 268.17 | 268.17 | 0 |
| 黑龙江珍宝岛湿地国家级自然保护区湿地区 | 1099.99 | 1099.99 | 0 |
| 黑龙江挠力河国家级自然保护区湿地区 | 765.37 | 765.37 | 0 |
| 黑龙江嘟噜河湿地自然保护区湿地区 | 11.43 | 11.43 | 0 |
| 黑龙江小北湖省级自然保护区湿地区 | 684.77 | 574.90 | 109.87 |
| 黑龙江五大连池山口省级自然保护区湿地区 | 0 | 0 | 0 |
| 黑龙江大佳河省级自然保护区湿地区 | 50.76 | 36.64 | 14.12 |
| 黑龙江桦川湿地省级自然保护区湿地区 | 0 | 0 | 0 |
| 黑龙江三环泡省级自然保护区湿地区 | 417.55 | 417.55 | 0 |
| 黑龙江省宝清东升自然保护区湿地区 | 309.99 | 309.99 | 0 |
| 黑龙江集贤安邦河湿地自然保护区湿地区 | 260.17 | 260.17 | 0 |
| 黑龙江北安省级自然保护区湿地区 | 0 | 0 | 0 |
| 黑龙江大庆龙凤湿地自然保护区湿地区 | 0 | 0 | 0 |
| 黑龙江乌苏里江自然保护区湿地区 | 0 | 0 | 0 |
| 黑龙江勤得利自然保护区湿地区 | 515.98 | 515.98 | 0 |
| 黑龙江省虎口湿地省级自然保护区湿地区 | 723.51 | 723.51 | 0 |
| 黑龙江哈拉海自然保护区湿地区 | 1326.90 | 1326.90 | 0 |
| 黑龙江水莲省级自然保护区湿地区 | 0 | 0 | 0 |
| 黑龙江乌裕尔河省级自然保护区湿地区 | 620.14 | 620.14 | 0 |
| 黑龙江细鳞河自然保护区湿地区 | 0 | 0 | 0 |
| 黑龙江公别拉河省级自然保护区湿地区 | 0 | 0 | 0 |
| 黑龙江肇东沿江省级自然保护区湿地区 | 9372.14 | 9372.14 | 0 |
| 黑龙江省黑鱼泡省级自然保护区湿地区 | 76.41 | 31.54 | 44.87 |
| 黑龙江绥滨两江湿地省级自然保护区湿地区 | 203.48 | 203.48 | 0 |
| 黑龙江明水湿地省级自然保护区湿地区 | 0 | 0 | 0 |
| 黑龙江讷谟尔河湿地省级自然保护区湿地区 | 385.32 | 385.32 | 0 |
| 黑龙江乌裕尔河—双阳河省级自然保护区湿地区 | 0 | 0 | 0 |

（续）

| 湿地区 | 合　计 | 永久性淡水湖 | 季节性淡水湖 |
|---|---|---|---|
| 黑龙江佳木斯沿江湿地省级保护区湿地区 | 0 | 0 | 0 |
| 黑龙江西洼荒湿地省级自然保护区湿地区 | 0 | 0 | 0 |
| 黑龙江肇源沿江湿地自然保护区湿地区 | 2935.53 | 2935.53 | 0 |
| 黑龙江富锦沿江湿地自然保护区湿地区 | 46.03 | 0 | 46.03 |
| 黑龙江嘉荫平阳河湿地自然保护区湿地区 | 42.21 | 42.21 | 0 |
| 黑龙江呼兰河口湿地省级自然保护区湿地区 | 133.48 | 0 | 133.48 |
| 黑龙江孙吴红旗湿地自然保护区湿地区 | 0 | 0 | 0 |
| 黑龙江黑瞎子岛湿地省级自然保护区湿地区 | 894.93 | 216.68 | 678.25 |
| 黑龙江白渔泡湿地公园湿地区 | 0 | 0 | 0 |
| 黑龙江太阳岛湿地公园湿地区 | 37.23 | 37.23 | 0 |
| 黑龙江五大连池省级自然保护区湿地区 | 2036.62 | 2036.62 | 0 |
| 黑龙江美人湖自然保护区（拟建）湿地区 | 0 | 0 | 0 |
| 黑龙江乌伊岭自然保护区湿地区 | 0 | 0 | 0 |
| 黑龙江新青白头鹤自然保护区湿地区 | 0 | 0 | 0 |
| 黑龙江红星湿地自然保护区湿地区 | 0 | 0 | 0 |
| 黑龙江翠北湿地自然保护区湿地区 | 0 | 0 | 0 |
| 黑龙江库尔滨河湿地自然保护区湿地区 | 0 | 0 | 0 |
| 黑龙江友好湿地自然保护区湿地区 | 0 | 0 | 0 |
| 黑龙江大沾河湿地自然保护区湿地区 | 0 | 0 | 0 |
| 黑龙江南北河自然保护区湿地区 | 0 | 0 | 0 |
| 黑龙江努敏河湿地自然保护区湿地区 | 0 | 0 | 0 |
| 黑龙江带岭碧水秋沙鸭自然保护区湿地区 | 0 | 0 | 0 |
| 黑龙江东方红湿地自然保护区湿地区 | 0 | 0 | 0 |
| 汤旺河湿地区 | 43.11 | 43.11 | 0 |
| 黑龙江新青国家级湿地公园湿地区 | 0 | 0 | 0 |
| 黑龙江干流湿地区 | 41.33 | 41.33 | 0 |
| 呼玛河湿地区 | 0 | 0 | 0 |
| 嫩江源头湿地区 | 74.90 | 74.90 | 0 |

**表 2-12 零星湿地区的湖泊湿地型及面积**(公顷)

| 地市 | 湿地区 | 合计 | 永久性淡水湖 | 永久性咸水湖 | 季节性淡水湖 | 季节性咸水湖 |
|---|---|---|---|---|---|---|
| 哈尔滨 | 哈尔滨市零星湿地区 | 224.74 | 224.74 | 0 | 0 | 0 |
| | 呼兰区零星湿地区 | 199.87 | 199.87 | 0 | 0 | 0 |
| | 阿城区零星湿地区 | 507.21 | 507.21 | 0 | 0 | 0 |
| | 依兰县零星湿地区 | 23.34 | 23.34 | 0 | 0 | 0 |
| | 方正县零星湿地区 | 0 | 0 | 0 | 0 | 0 |
| | 宾县零星湿地区 | 721.22 | 721.22 | 0 | 0 | 0 |
| | 巴彦县零星湿地区 | 0 | 0 | 0 | 0 | 0 |
| | 木兰县零星湿地区 | 106.72 | 88.33 | 0 | 18.39 | 0 |
| | 通河县零星湿地区 | 1437.91 | 1353.84 | 0 | 84.07 | 0 |
| | 延寿县零星湿地区 | 0 | 0 | 0 | 0 | 0 |
| | 双城市零星湿地区 | 0 | 0 | 0 | 0 | 0 |
| | 尚志市零星湿地区 | 0 | 0 | 0 | 0 | 0 |
| | 五常市零星湿地区 | 589.99 | 589.99 | 0 | 0 | 0 |
| 齐齐哈尔 | 齐齐哈尔市零星湿地区 | 5756.13 | 5271.71 | 0 | 344.54 | 139.88 |
| | 龙江县零星湿地区 | 3489.80 | 3489.80 | 0 | 0 | 0 |
| | 依安县零星湿地区 | 0 | 0 | 0 | 0 | 0 |
| | 泰来县零星湿地区 | 6777.33 | 5844.12 | 0 | 857.02 | 76.19 |
| | 甘南县零星湿地区 | 670.96 | 506.66 | 0 | 164.30 | 0 |
| | 富裕县零星湿地区 | 1063.00 | 1063.00 | 0 | 0 | 0 |
| | 克山县零星湿地区 | 0 | 0 | 0 | 0 | 0 |
| | 克东县零星湿地区 | 981.39 | 981.39 | 0 | 0 | 0 |
| | 拜泉县零星湿地区 | 0 | 0 | 0 | 0 | 0 |
| | 讷河市零星湿地区 | 20.47 | 20.47 | 0 | 0 | 0 |
| 鸡西 | 鸡西市零星湿地区 | 0 | 0 | 0 | 0 | 0 |
| | 鸡东县零星湿地区 | 0 | 0 | 0 | 0 | 0 |
| | 虎林市零星湿地区 | 102.92 | 102.92 | 0 | 0 | 0 |
| | 密山市零星湿地区 | 0 | 0 | 0 | 0 | 0 |
| 鹤岗 | 鹤岗市零星湿地区 | 0 | 0 | 0 | 0 | 0 |
| | 萝北县零星湿地区 | 175.27 | 175.27 | 0 | 0 | 0 |
| | 绥滨县零星湿地区 | 139.72 | 0 | 0 | 139.72 | 0 |

（续）

| 地市 | 湿地区 | 合计 | 永久性淡水湖 | 永久性咸水湖 | 季节性淡水湖 | 季节性咸水湖 |
|---|---|---|---|---|---|---|
| 双鸭山 | 双鸭山市零星湿地区 | 0 | 0 | 0 | 0 | 0 |
| | 集贤县零星湿地区 | 0 | 0 | 0 | 0 | 0 |
| | 友谊县零星湿地区 | 0 | 0 | 0 | 0 | 0 |
| | 宝清县零星湿地区 | 66.30 | 66.30 | 0 | 0 | 0 |
| | 饶河县零星湿地区 | 277.05 | 277.05 | 0 | 0 | 0 |
| 大庆 | 大庆市零星湿地区 | 34986.31 | 0 | 28310.57 | 0 | 6675.74 |
| | 肇州县零星湿地区 | 3542.04 | 0 | 3238.64 | 0 | 303.40 |
| | 肇源县零星湿地区 | 18627.92 | 0 | 12721.14 | 0 | 5906.78 |
| | 林甸县零星湿地区 | 644.77 | 0 | 232.37 | 0 | 412.40 |
| | 杜尔伯特蒙古族自治县零星湿地区 | 72397.59 | 0 | 71175.98 | 0 | 1221.61 |
| 伊春 | 嘉荫县零星湿地区 | 407.32 | 407.32 | 0 | 0 | 0 |
| | 铁力市零星湿地区 | 0 | 0 | 0 | 0 | 0 |
| 佳木斯 | 佳木斯市零星湿地区 | 0 | 0 | 0 | 0 | 0 |
| | 桦南县零星湿地区 | 0 | 0 | 0 | 0 | 0 |
| | 桦川县零星湿地区 | 0 | 0 | 0 | 0 | 0 |
| | 汤原县零星湿地区 | 0 | 0 | 0 | 0 | 0 |
| | 抚远县零星湿地区 | 0 | 0 | 0 | 0 | 0 |
| | 同江市零星湿地区 | 182.12 | 0 | 0 | 182.12 | 0 |
| | 富锦市零星湿地区 | 0 | 0 | 0 | 0 | 0 |
| 七台河 | 七台河市零星湿地区 | 0 | 0 | 0 | 0 | 0 |
| | 勃利县零星湿地区 | 0 | 0 | 0 | 0 | 0 |
| 牡丹江 | 牡丹江市零星湿地区 | 0 | 0 | 0 | 0 | 0 |
| | 东宁县零星湿地区 | 0 | 0 | 0 | 0 | 0 |
| | 林口县零星湿地区 | 0 | 0 | 0 | 0 | 0 |
| | 绥芬河市零星湿地区 | 0 | 0 | 0 | 0 | 0 |
| | 海林市零星湿地区 | 0 | 0 | 0 | 0 | 0 |
| | 宁安市零星湿地区 | 118.26 | 118.26 | 0 | 0 | 0 |
| | 穆棱市零星湿地区 | 0 | 0 | 0 | 0 | 0 |
| 黑河 | 爱辉区零星湿地区 | 0 | 0 | 0 | 0 | 0 |
| | 嫩江县零星湿地区 | 0 | 0 | 0 | 0 | 0 |
| | 逊克县零星湿地区 | 0 | 0 | 0 | 0 | 0 |

（续）

| 地市 | 湿地区 | 合计 | 永久性淡水湖 | 永久性咸水湖 | 季节性淡水湖 | 季节性咸水湖 |
|---|---|---|---|---|---|---|
| 黑河 | 孙吴县零星湿地区 | 0 | 0 | 0 | 0 | 0 |
| | 北安市零星湿地区 | 0 | 0 | 0 | 0 | 0 |
| | 五大连池市零星湿地区 | 0 | 0 | 0 | 0 | 0 |
| 绥化 | 绥化市零星湿地区 | 747.28 | 0 | 0 | 747.28 | 0 |
| | 望奎县零星湿地区 | 0 | 0 | 0 | 0 | 0 |
| | 兰西县零星湿地区 | 0 | 0 | 0 | 0 | 0 |
| | 青冈县零星湿地区 | 0 | 0 | 0 | 0 | 0 |
| | 庆安县零星湿地区 | 0 | 0 | 0 | 0 | 0 |
| | 明水县零星湿地区 | 0 | 0 | 0 | 0 | 0 |
| | 绥棱县零星湿地区 | 0 | 0 | 0 | 0 | 0 |
| | 安达市零星湿地区 | 23859.23 | 0 | 13554.71 | 0 | 10304.52 |
| | 肇东市零星湿地区 | 2588.53 | 0 | 2228.39 | 0 | 360.14 |
| | 海伦市零星湿地区 | 0 | 0 | 0 | 0 | 0 |
| 森工 | 乌伊岭林业局湿地区 | 0 | 0 | 0 | 0 | 0 |
| | 新青林业局湿地区 | 0 | 0 | 0 | 0 | 0 |
| | 红星林业局湿地区 | 0 | 0 | 0 | 0 | 0 |
| | 五营林业局湿地区 | 0 | 0 | 0 | 0 | 0 |
| | 桃山林业局湿地区 | 0 | 0 | 0 | 0 | 0 |
| | 铁力林业局湿地区 | 0 | 0 | 0 | 0 | 0 |
| | 双丰林业局湿地区 | 0 | 0 | 0 | 0 | 0 |
| | 沾河林业局湿地区 | 0 | 0 | 0 | 0 | 0 |
| | 通北林业局湿地区 | 0 | 0 | 0 | 0 | 0 |
| | 绥棱林业局湿地区 | 0 | 0 | 0 | 0 | 0 |
| | 兴隆林业局湿地区 | 25.71 | 25.71 | 0 | 0 | 0 |
| | 方正林业局湿地区 | 0 | 0 | 0 | 0 | 0 |
| | 苇河林业局湿地区 | 0 | 0 | 0 | 0 | 0 |
| | 亚布力林业局湿地区 | 9.12 | 9.12 | 0 | 0 | 0 |
| | 山河屯林业局湿地区 | 0 | 0 | 0 | 0 | 0 |
| | 林口林业局湿地区 | 0 | 0 | 0 | 0 | 0 |
| | 柴河林业局湿地区 | 0 | 0 | 0 | 0 | 0 |
| | 海林林业局湿地区 | 0 | 0 | 0 | 0 | 0 |
| | 大海林林业局湿地区 | 0 | 0 | 0 | 0 | 0 |
| | 东京城林业局湿地区 | 11258.42 | 11258.42 | 0 | 0 | 0 |
| | 八面通林业局湿地区 | 0 | 0 | 0 | 0 | 0 |

（续）

| 地 市 | 湿地区 | 合 计 | 永久性淡水湖 | 永久性咸水湖 | 季节性淡水湖 | 季节性咸水湖 |
|---|---|---|---|---|---|---|
| 森 工 | 穆棱林业局湿地区 | 0 | 0 | 0 | 0 | 0 |
| | 绥阳林业局湿地区 | 0 | 0 | 0 | 0 | 0 |
| | 清河林业局湿地区 | 0 | 0 | 0 | 0 | 0 |
| | 迎春林业局湿地区 | 0 | 0 | 0 | 0 | 0 |
| | 东方红林业局湿地区 | 0 | 0 | 0 | 0 | 0 |
| | 桦南林业局湿地区 | 0 | 0 | 0 | 0 | 0 |
| | 双鸭山林业局湿地区 | 0 | 0 | 0 | 0 | 0 |
| | 鹤北林业局湿地区 | 0 | 0 | 0 | 0 | 0 |
| | 鹤立林业局湿地区 | 0 | 0 | 0 | 0 | 0 |
| 大兴安岭 | 黑龙江干流湿地区 | 166.86 | 166.86 | 0 | 0 | 0 |
| | 呼玛河湿地区 | 32.00 | 32.00 | 0 | 0 | 0 |
| | 嫩江源头湿地区 | 7.69 | 7.69 | 0 | 0 | 0 |

## 4.4 各行政区的湖泊湿地型及面积

各行政区的湖泊湿地型及面积见表2-13，黑龙江省湖泊湿地分布如图2-8。

**表2-13 各行政区湖泊湿地型及面积**(公顷)

| 行政单位 | 合 计 | 永久性淡水湖 | 永久性咸水湖 | 季节性淡水湖 | 季节性咸水湖 |
|---|---|---|---|---|---|
| 全 省 | 356015.59 | 183339.71 | 131461.80 | 15813.42 | 25400.66 |
| 哈尔滨 | 3981.71 | 3745.77 | 0 | 235.94 | 0 |
| 齐齐哈尔 | 27447.91 | 19509.51 | 0 | 7722.33 | 216.07 |
| 牡丹江 | 803.03 | 693.16 | 0 | 109.87 | 0 |
| 佳木斯 | 3959.79 | 2906.86 | 0 | 1052.93 | 0 |
| 大 庆 | 138925.39 | 2935.53 | 115678.70 | 5791.23 | 14519.93 |
| 双鸭山 | 1997.81 | 1983.69 | 0 | 14.12 | 0 |
| 鹤 岗 | 529.90 | 390.18 | 0 | 139.72 | 0 |
| 鸡 西 | 127657.58 | 127657.58 | 0 | 0 | 0 |
| 伊 春 | 449.53 | 449.53 | 0 | 0 | 0 |
| 七台河 | 0 | 0 | 0 | 0 | 0 |
| 黑 河 | 2036.62 | 2036.62 | 0 | 0 | 0 |
| 绥 化 | 36567.18 | 9372.14 | 15783.10 | 747.28 | 10664.66 |
| 大兴安岭 | 322.78 | 322.78 | 0 | 0 | 0 |
| 森 工 | 11336.36 | 11336.36 | 0 | 0 | 0 |

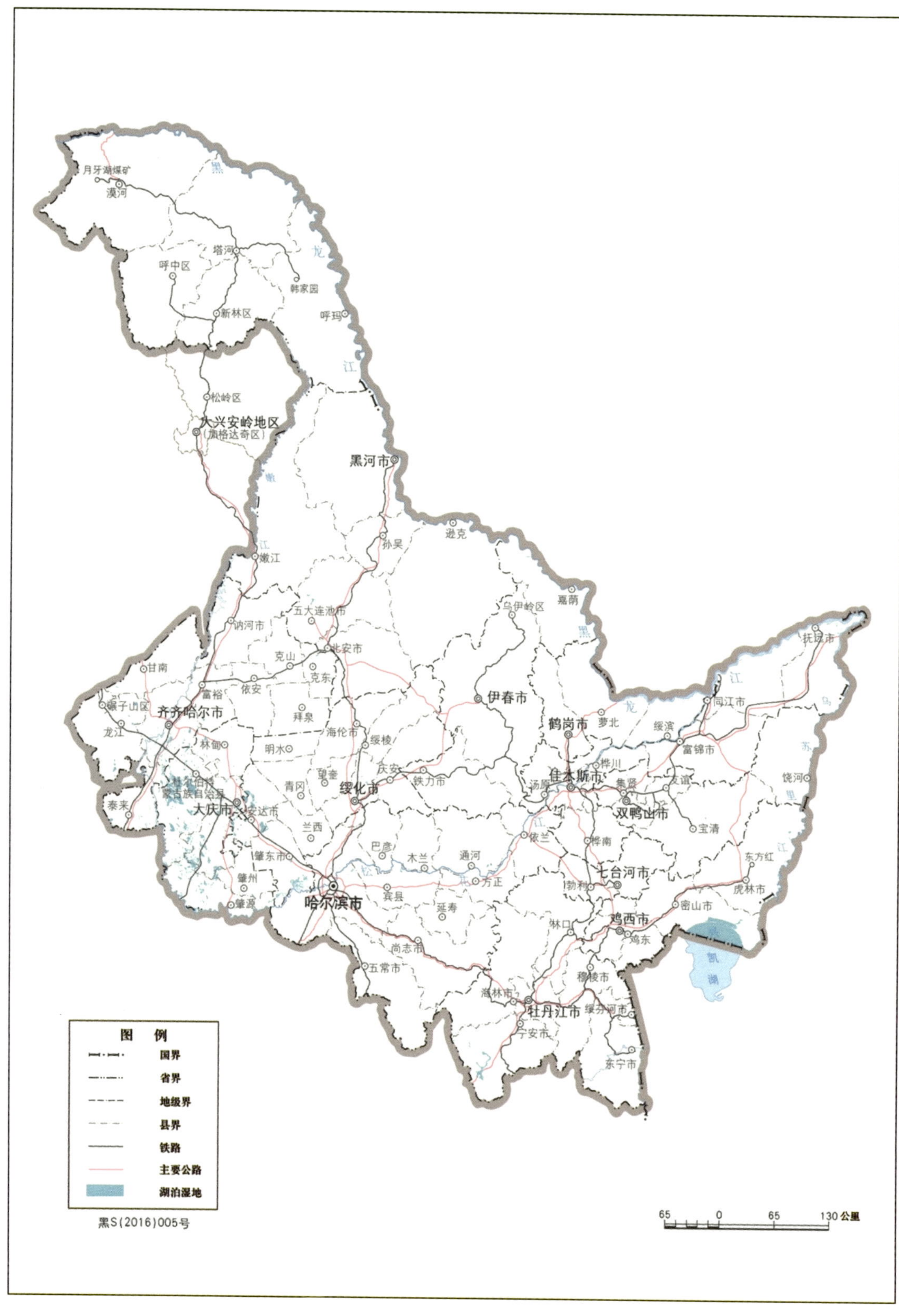


图 **2-8** 黑龙江省湖泊湿地分布图

## 5　沼泽湿地

调查区内沼泽湿地主要分布在松嫩平原和三江平原的低洼地，大、小兴安岭林区的山间谷地及河流、湖泊沿岸。划分为草本沼泽、沼泽化草甸、季节性咸水沼泽、灌木沼泽、森林沼泽 5 个湿地型。沼泽湿地面积 386.43 万公顷，占湿地总面积的 75.13%。

### 5.1　各湿地型及面积

黑龙江省沼泽湿地型比例构成图，如图 2-9。

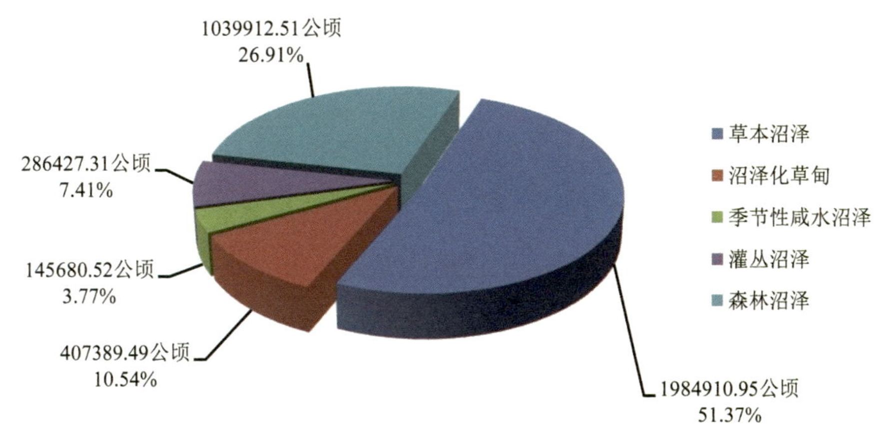


图 **2-9**　黑龙江省沼泽湿地型比例构成图

#### 5.1.1　草本沼泽

草本沼泽是指由水生和沼生的草本植物组成优势群落的湿地。主要分布在三江平原和松嫩平原的低洼地及河流沿岸湖泊周围。本次调查面积为 198.49 万公顷，占沼泽湿地面积的 51.37%。

#### 5.1.2　灌丛沼泽

灌丛沼泽是指以灌丛植物为优势群落的沼泽湿地，主要灌木为灌木柳和柴桦，本湿地类型主要分布本调查区的宽阔河谷、平缓山坡的低洼地及三江平原和松嫩平原的局部地段。本次调查面积为 28.64 万公顷，占沼泽湿地面积的 7.41%。

#### 5.1.3　森林沼泽

森林沼泽是以乔木森林植物为优势群落的沼泽，主要以赤杨、白桦、兴安落叶松树种为主。本次调查湿地面积为 103.99 万公顷，占沼泽湿地面积的 26.91%。此型湿地主要分布在大兴安岭及森工国有林区及黑河地区和三江平原的河流两岸平坦谷地和低湿地。

#### 5.1.4　季节性咸水沼泽

季节性咸水沼泽是指受微咸水或咸水影响，只在部分季节维持浸湿或潮湿状况的沼泽。本湿地类型主要分布在松嫩平原安达、杜蒙、大庆、肇州、肇源等 10 个湿地区。本次调查面积为 14.57 万公顷，占沼泽湿地面积的 3.77%。

#### 5.1.5　沼泽化草甸

沼泽化草甸是典型草甸向沼泽植被的过渡类型，是在地势低洼、排水不畅、土壤过分潮湿、通透性不良等环境条件下发育起来的湿地。主要为分布在平原地区、山地的河漫滩和林缘地带的沼泽化草甸以及具有高寒性质的沼泽化草甸。本次调查面积为40.74万公顷，占沼泽湿地面积的10.54%。

## 5.2 各流域的沼泽湿地型及面积

在松花江一级流域中沼泽湿地面积386.43万公顷。分别为二级流域的黑龙江干流面积175.50万公顷；嫩江流域面积97.57万公顷；松花江(三岔口以下)流域面积79.97万公顷；乌苏里江流域面积32.20万公顷；绥芬河流域面积1.19万公顷。各流域沼泽湿地面积见表2-14。

**表2-14 各流域沼泽湿地型及面积**(公顷)

| 流　域 | 合　计 | 草本沼泽 | 灌丛沼泽 | 森林沼泽 | 季节性咸水沼泽 | 沼泽化草甸 |
|---|---|---|---|---|---|---|
| 合　计 | 3864320.78 | 1984910.95 | 286427.31 | 1039912.51 | 145680.52 | 407389.49 |
| 黑龙江干流 | 1755036.48 | 440867.24 | 235865.24 | 800179.66 | 0 | 278124.34 |
| 尼尔基以上 | 175504.81 | 105311.53 | 107.49 | 216.90 | 0 | 69868.89 |
| 尼尔基至江桥 | 604472.60 | 530145.42 | 15088.25 | 24522.84 | 1305.59 | 33410.50 |
| 江桥以下 | 195691.98 | 73896.98 | 0 | 0 | 121795.00 | 0 |
| 计 | 975669.39 | 709353.93 | 15195.74 | 24739.74 | 123100.59 | 103279.39 |
| 通河至佳木斯干流区间 | 226654.07 | 95477.81 | 4294.59 | 113103.74 | 0 | 13777.93 |
| 哈尔滨至通河 | 320894.08 | 288864.91 | 3358.33 | 24365.73 | 0 | 4305.11 |
| 佳木斯以下 | 102781.63 | 69028.37 | 15147.17 | 16815.67 | 0 | 1790.42 |
| 牡丹江 | 51339.70 | 23198.32 | 218.11 | 27874.18 | 0 | 49.09 |
| 三岔口至哈尔滨 | 98071.96 | 72268.89 | 709.63 | 2513.51 | 22579.93 | 0 |
| 计 | 799741.44 | 548838.30 | 23727.83 | 184672.83 | 22579.93 | 19922.55 |
| 穆棱河口以下 | 260144.69 | 218664.17 | 6442.17 | 30091.85 | 0 | 4946.50 |
| 穆棱河口以上 | 61867.30 | 60731.93 | 0 | 18.66 | 0 | 1116.71 |
| 计 | 322011.99 | 279396.10 | 6442.17 | 30110.51 | 0 | 6063.21 |
| 绥芬河 | 98071.96 | 72268.89 | 709.63 | 2513.51 | 22579.93 | 0 |

## 5.3 各湿地区的沼泽湿地型及面积

各湿地区的沼泽湿地型及面积见表2-15、表2-16。

**表2-15 单独区划湿地区的沼泽湿地型及面积**(公顷)

| 湿地区 | 合　计 | 草本沼泽 | 灌丛沼泽 | 森林沼泽 | 季节性咸水沼泽 | 沼泽化草甸 |
|---|---|---|---|---|---|---|
| 黑龙江扎龙国家级自然保护区湿地区 | 158081.81 | 136491.06 | 0 | 0 | 0 | 21590.75 |
| 黑龙江兴凯湖国家级自然保护区湿地区 | 45915.96 | 45915.96 | 0 | 0 | 0 | 0 |

（续）

| 湿地区 | 合　计 | 草本沼泽 | 灌丛沼泽 | 森林沼泽 | 季节性咸水沼泽 | 沼泽化草甸 |
|---|---|---|---|---|---|---|
| 黑龙江三江国家级自然保护区湿地区 | 43321.63 | 40274.17 | 3047.46 | 0 | 0 | 0 |
| 黑龙江洪河国家级自然保护区湿地区 | 21682.04 | 12011.66 | 0 | 1354.48 | 0 | 8315.90 |
| 黑龙江八岔岛国家级自然保护区湿地区 | 6538.97 | 1279.08 | 3471.43 | 1788.46 | 0 | 0 |
| 黑龙江宝清七星河国家级自然保护区湿地区 | 15931.21 | 15931.21 | 0 | 0 | 0 | 0 |
| 黑龙江珍宝岛湿地国家级自然保护区湿地区 | 15478.35 | 14739.20 | 739.15 | 0 | 0 | 0 |
| 黑龙江挠力河国家级自然保护区湿地区 | 73647.55 | 55657.42 | 199.85 | 16213.89 | 0 | 1576.39 |
| 黑龙江嘟噜河湿地自然保护区湿地区 | 9749.82 | 9749.82 | 0 | 0 | 0 | 0 |
| 黑龙江小北湖省级自然保护区湿地区 | 4114.80 | 3346.30 | 0 | 768.50 | 0 | 0 |
| 黑龙江五大连池山口省级自然保护区湿地区 | 9331.64 | 9224.15 | 107.49 | 0 | 0 | 0 |
| 黑龙江大佳河省级自然保护区湿地区 | 7214.41 | 5264.88 | 0 | 1949.53 | 0 | 0 |
| 黑龙江桦川湿地省级自然保护区湿地区 | 10678.49 | 8421.05 | 2257.44 | 0 | 0 | 0 |
| 黑龙江三环泡省级自然保护区湿地区 | 19590.39 | 19590.39 | 0 | 0 | 0 | 0 |
| 黑龙江省宝清东升自然保护区湿地区 | 8282.97 | 4912.86 | 0 | 0 | 0 | 3370.11 |
| 黑龙江集贤安邦河湿地自然保护区湿地区 | 686.08 | 686.08 | 0 | 0 | 0 | 0 |
| 黑龙江北安省级自然保护区湿地区 | 8423.37 | 8423.37 | 0 | 0 | 0 | 0 |
| 黑龙江大庆龙凤湿地自然保护区湿地区 | 2945.70 | 2945.70 | 0 | 0 | 0 | 0 |
| 黑龙江乌苏里江自然保护区湿地区 | 0 | 0 | 0 | 0 | 0 | 0 |
| 黑龙江勤得利自然保护区湿地区 | 2375.66 | 0 | 2375.66 | 0 | 0 | 0 |
| 黑龙江省虎口湿地省级自然保护区湿地区 | 7949.95 | 6067.50 | 36.76 | 1845.69 | 0 | 0 |
| 黑龙江哈拉海自然保护区湿地区 | 13412.58 | 13412.58 | 0 | 0 | 0 | 0 |
| 黑龙江水莲省级自然保护区湿地区 | 5851.92 | 5851.92 | 0 | 0 | 0 | 0 |
| 黑龙江乌裕尔河省级自然保护区湿地区 | 28509.38 | 28509.38 | 0 | 0 | 0 | 0 |
| 黑龙江细鳞河自然保护区湿地区 | 2656.97 | 2656.97 | 0 | 0 | 0 | 0 |
| 黑龙江公别拉河省级自然保护区湿地区 | 14660.92 | 0 | 0 | 0 | 0 | 14660.92 |
| 黑龙江肇东沿江省级自然保护区湿地区 | 2770.82 | 1218.79 | 0 | 0 | 1552.03 | 0 |
| 黑龙江省黑鱼泡省级自然保护区湿地区 | 5773.59 | 5226.37 | 547.22 | 0 | 0 | 0 |
| 黑龙江绥滨两江湿地省级自然保护区湿地区 | 15597.6 | 711.07 | 14886.53 | 0 | 0 | 0 |
| 黑龙江明水湿地省级自然保护区湿地区 | 33003.08 | 33003.08 | 0 | 0 | 0 | 0 |

（续）

| 湿地区 | 合　计 | 草本沼泽 | 灌丛沼泽 | 森林沼泽 | 季节性咸水沼泽 | 沼泽化草甸 |
|---|---|---|---|---|---|---|
| 黑龙江讷谟尔河湿地省级自然保护区湿地区 | 18541.65 | 7199.51 | 0 | 0 | 0 | 11342.14 |
| 黑龙江乌裕尔河—双阳河省级自然保护区湿地区 | 12164.95 | 12043.77 | 121.18 | 0 | 0 | 0 |
| 黑龙江佳木斯沿江湿地省级保护区湿地区 | 3073.88 | 2730.81 | 0 | 343.07 | 0 | 0 |
| 黑龙江西洼荒湿地省级自然保护区湿地区 | 4299.98 | 4299.98 | 0 | 0 | 0 | 0 |
| 黑龙江肇源沿江湿地自然保护区湿地区 | 5036.45 | 403.35 | 404.50 | 0 | 4228.60 | 0 |
| 黑龙江富锦沿江湿地自然保护区湿地区 | 4519.08 | 0 | 4519.08 | 0 | 0 | 0 |
| 黑龙江嘉荫平阳河湿地自然保护区湿地区 | 4043.58 | 3620.82 | 0 | 422.76 | 0 | 0 |
| 黑龙江呼兰河口湿地省级自然保护区湿地区 | 466.36 | 436.14 | 30.22 | 0 | 0 | 0 |
| 黑龙江孙吴红旗湿地自然保护区湿地区 | 7624.28 | 3307.60 | 38.70 | 0 | 0 | 4277.98 |
| 黑龙江黑瞎子岛湿地省级自然保护区湿地区 | 16782.02 | 14347.60 | 946.97 | 1487.45 | 0 | 0 |
| 黑龙江白渔泡湿地公园湿地区 | 165.48 | 165.48 | 0 | 0 | 0 | 0 |
| 黑龙江太阳岛湿地公园湿地区 | 1318.09 | 625.00 | 433.99 | 259.10 | 0 | 0 |
| 黑龙江五大连池省级自然保护区湿地区 | 8116.16 | 8116.16 | 0 | 0 | 0 | 0 |
| 黑龙江美人湖自然保护区(拟建)湿地区 | 908.60 | 0 | 0 | 908.60 | 0 | 0 |
| 黑龙江乌伊岭自然保护区湿地区 | 6948.60 | 5262.95 | 0 | 1685.65 | 0 | 0 |
| 黑龙江新青白头鹤自然保护区湿地区 | 14568.50 | 0 | 12.12 | 0 | 0 | 14556.38 |
| 黑龙江红星湿地自然保护区湿地区 | 32348.90 | 24148.76 | 162.33 | 8037.81 | 0 | 0 |
| 黑龙江翠北湿地自然保护区湿地区 | 6677.69 | 6677.69 | 0 | 0 | 0 | 0 |
| 黑龙江库尔滨河湿地自然保护区湿地区 | 27891.61 | 27891.61 | 0 | 0.00 | 0 | 0 |
| 黑龙江友好湿地自然保护区湿地区 | 13443.93 | 0 | 0 | 13443.93 | 0 | 0 |
| 黑龙江大沾河湿地自然保护区湿地区 | 112580.39 | 111298.85 | 0 | 1281.54 | 0 | 0 |
| 黑龙江南北河自然保护区湿地区 | 41720.49 | 41720.49 | 0 | 0 | 0 | 0 |
| 黑龙江努敏河湿地自然保护区湿地区 | 11222.34 | 8030.07 | 0 | 3192.27 | 0 | 0 |
| 黑龙江带岭碧水秋沙鸭自然保护区湿地区 | 66.31 | 0 | 7.98 | 58.33 | 0 | 0 |
| 黑龙江东方红湿地自然保护区湿地区 | 27249.87 | 27249.87 | 0 | 0 | 0 | 0 |
| 汤旺河湿地区 | 160475.83 | 49302.25 | 2090.64 | 98051.77 | 0 | 11031.17 |
| 黑龙江新青国家级湿地公园湿地区 | 2559.00 | 0 | 0 | 0 | 0 | 2559.00 |
| 黑龙江干流湿地区 | 314265.55 | 3260.69 | 87679.45 | 223325.41 | 0 | 0 |
| 呼玛河湿地区 | 249387.15 | 57337.71 | 32932.79 | 158767.81 | 0 | 348.84 |
| 嫩江源头湿地区 | 57752.11 | 52653.70 | 0 | 216.90 | 0 | 4881.51 |

表 2-16 零星湿地区的沼泽湿地型及面积(公顷)

| 地 市 | 湿地区 | 合 计 | 草本沼泽 | 灌丛沼泽 | 森林沼泽 | 季节性咸水沼泽 | 沼泽化草甸 |
|---|---|---|---|---|---|---|---|
| 哈尔滨 | 哈尔滨市零星湿地区 | 366.44 | 366.44 | 0 | 0 | 0 | 0 |
| | 呼兰区零星湿地区 | 574.14 | 574.14 | 0 | 0 | 0 | 0 |
| | 阿城区零星湿地区 | 39053.89 | 39053.89 | 0 | 0 | 0 | 0 |
| | 依兰县零星湿地区 | 326.74 | 194.52 | 0 | 0 | 0 | 132.22 |
| | 方正县零星湿地区 | 23.71 | 0 | 0 | 0 | 0 | 23.71 |
| | 宾县零星湿地区 | 129.24 | 0 | 0 | 0 | 0 | 129.24 |
| | 巴彦县零星湿地区 | 3108.05 | 546.94 | 0 | 0 | 0 | 2561.11 |
| | 木兰县零星湿地区 | 97.37 | 0 | 0 | 0 | 0 | 97.37 |
| | 通河县零星湿地区 | 1809.23 | 545.11 | 0 | 0 | 0 | 1264.12 |
| | 延寿县零星湿地区 | 139.44 | 9.06 | 15.58 | 0 | 0 | 114.80 |
| | 双城市零星湿地区 | 5193.11 | 5193.11 | 0 | 0 | 0 | 0 |
| | 尚志市零星湿地区 | 216.43 | 101.67 | 0 | 0 | 0 | 114.76 |
| | 五常市零星湿地区 | 11846.75 | 11846.75 | 0 | 0 | 0 | 0 |
| 齐齐哈尔 | 齐齐哈尔市零星湿地区 | 74160.10 | 65790.20 | 6586.70 | 0 | 1305.59 | 477.61 |
| | 龙江县零星湿地区 | 43992.36 | 43426.45 | 565.91 | 0 | 0 | 0 |
| | 依安县零星湿地区 | 11090.17 | 11090.17 | 0 | 0 | 0 | 0 |
| | 泰来县零星湿地区 | 34737.64 | 34737.64 | 0 | 0 | 0 | 0 |
| | 甘南县零星湿地区 | 17172.99 | 17085.60 | 87.39 | 0 | 0 | 0 |
| | 富裕县零星湿地区 | 48348.32 | 48348.32 | 0 | 0 | 0 | 0 |
| | 克山县零星湿地区 | 13696.96 | 13404.24 | 292.72 | 0 | 0 | 0 |
| | 克东县零星湿地区 | 28520.60 | 28520.60 | 0 | 0 | 0 | 0 |
| | 拜泉县零星湿地区 | 11923.55 | 2941.47 | 8982.08 | 0 | 0 | 0 |
| | 讷河市零星湿地区 | 17000.57 | 17000.57 | 0 | 0 | 0 | 0 |
| 鸡 西 | 鸡西市零星湿地区 | 148.93 | 0 | 0 | 0 | 0 | 148.93 |
| | 鸡东县零星湿地区 | 629.40 | 0 | 0 | 0 | 0 | 629.40 |
| | 虎林市零星湿地区 | 26.02 | 0 | 0 | 0 | 0 | 26.02 |
| | 密山市零星湿地区 | 312.36 | 0 | 0 | 0 | 0 | 312.36 |
| 鹤 岗 | 鹤岗市零星湿地区 | 16861.23 | 16861.23 | 0 | 0 | 0 | 0 |
| | 萝北县零星湿地区 | 18195.65 | 14747.98 | 1426.92 | 2020.75 | 0 | 0 |
| | 绥滨县零星湿地区 | 1613.88 | 1613.88 | 0 | 0 | 0 | 0 |
| 双鸭山 | 双鸭山市零星湿地区 | 1574.09 | 1574.09 | 0 | 0 | 0 | 0 |
| | 集贤县零星湿地区 | 1933.88 | 57.45 | 0 | 1876.43 | 0 | 0 |
| | 友谊县零星湿地区 | 1430.78 | 1430.78 | 0 | 0 | 0 | 0 |
| | 宝清县零星湿地区 | 17082.44 | 11956.37 | 0 | 5126.07 | 0 | 0 |
| | 饶河县零星湿地区 | 6707.37 | 4963.12 | 363.13 | 1381.12 | 0 | 0 |

（续）

| 地 市 | 湿地区 | 合 计 | 草本沼泽 | 灌丛沼泽 | 森林沼泽 | 季节性咸水沼泽 | 沼泽化草甸 |
|---|---|---|---|---|---|---|---|
| 大 庆 | 大庆市零星湿地区 | 46143.58 | 28665.06 | 0 | 0 | 17478.52 | 0 |
| | 肇州县零星湿地区 | 16881.29 | 3048.89 | 0 | 0 | 13832.40 | 0 |
| | 肇源县零星湿地区 | 19612.60 | 10667.33 | 0 | 0 | 8945.27 | 0 |
| | 林甸县零星湿地区 | 27081.68 | 13609.02 | 0 | 0 | 13472.66 | 0 |
| | 杜尔伯特蒙古族自治县零星湿地区 | 42033.49 | 20684.01 | 0 | 0 | 21349.48 | 0 |
| 伊 春 | 嘉荫县零星湿地区 | 9166.95 | 7608.04 | 0 | 1558.91 | 0 | 0 |
| | 铁力市零星湿地区 | 8286.75 | 8286.75 | 0 | 0 | 0 | 0 |
| 佳木斯 | 佳木斯市零星湿地区 | 0 | 0 | 0 | 0 | 0 | 0 |
| | 桦南县零星湿地区 | 3585.67 | 3585.67 | 0 | 0 | 0 | 0 |
| | 桦川县零星湿地区 | 137.91 | 137.91 | 0 | 0 | 0 | 0 |
| 佳木斯 | 汤原县零星湿地区 | 2135.80 | 2135.80 | 0 | 0 | 0 | 0 |
| | 抚远县零星湿地区 | 771.51 | 697.67 | 73.84 | 0 | 0 | 0 |
| | 同江市零星湿地区 | 12287.91 | 2222.52 | 10065.39 | 0 | 0 | 0 |
| | 富锦市零星湿地区 | 3761.24 | 3761.24 | 0 | 0 | 0 | 0 |
| 七台河 | 七台河市零星湿地区 | 344.02 | 0 | 0 | 0 | 0 | 344.02 |
| | 勃利县零星湿地区 | 1446.40 | 0 | 0 | 0 | 0 | 1446.40 |
| 牡丹江 | 牡丹江市零星湿地区 | 2902.01 | 644.52 | 0 | 2257.49 | 0 | 0 |
| | 东宁县零星湿地区 | 5509.76 | 1220.02 | 4289.74 | 0 | 0 | 0 |
| | 林口县零星湿地区 | 8357.47 | 8151.14 | 0 | 206.33 | 0 | 0 |
| | 绥芬河市零星湿地区 | 1116.36 | 0 | 906.59 | 209.77 | 0 | 0 |
| | 海林市零星湿地区 | 1425.40 | 1234.81 | 0 | 190.59 | 0 | 0 |
| | 宁安市零星湿地区 | 4762.46 | 4762.46 | 0 | 0 | 0 | 0 |
| | 穆棱市零星湿地区 | 21.02 | 21.02 | 0 | 0 | 0 | 0 |
| 黑 河 | 爱辉区零星湿地区 | 188649.05 | 14615.44 | 1787.17 | 0 | 0 | 172246.44 |
| | 嫩江县零星湿地区 | 74588.73 | 9601.35 | 0 | 0 | 0 | 64987.38 |
| | 逊克县零星湿地区 | 57740.29 | 0 | 5611.15 | 5981.90 | 0 | 46147.24 |
| | 孙吴县零星湿地区 | 52452.06 | 52452.06 | 0 | 0 | 0 | 0 |
| | 北安市零星湿地区 | 26319.50 | 26319.50 | 0 | 0 | 0 | 0 |
| | 五大连池市零星湿地区 | 32707.21 | 32707.21 | 0 | 0 | 0 | 0 |
| 绥 化 | 绥化市零星湿地区 | 1329.40 | 1329.40 | 0 | 0 | 0 | 0 |
| | 望奎县零星湿地区 | 3483.39 | 3483.39 | 0 | 0 | 0 | 0 |
| | 兰西县零星湿地区 | 16960.95 | 16960.95 | 0 | 0 | 0 | 0 |
| | 青冈县零星湿地区 | 43370.48 | 43370.48 | 0 | 0 | 0 | 0 |
| | 庆安县零星湿地区 | 25065.09 | 25065.09 | 0 | 0 | 0 | 0 |

（续）

| 地 市 | 湿地区 | 合 计 | 草本沼泽 | 灌丛沼泽 | 森林沼泽 | 季节性咸水沼泽 | 沼泽化草甸 |
|---|---|---|---|---|---|---|---|
| 绥 化 | 明水县零星湿地区 | 15819.20 | 15819.20 | 0 | 0 | 0 | 0 |
| | 绥棱县零星湿地区 | 8014.34 | 8014.34 | 0 | 0 | 0 | 0 |
| | 安达市零星湿地区 | 65432.73 | 17440.94 | 0 | 0 | 47991.79 | 0 |
| | 肇东市零星湿地区 | 19631.80 | 4107.62 | 0 | 0 | 15524.18 | 0 |
| | 海伦市零星湿地区 | 18264.29 | 18264.29 | 0 | 0 | 0 | 0 |
| 森 工 | 乌伊岭林业局湿地区 | 33186.97 | 29665.00 | 0 | 3521.97 | 0 | 0 |
| | 新青林业局湿地区 | 15162.63 | 0 | 0 | 0 | 0 | 15162.63 |
| | 红星林业局湿地区 | 2234.44 | 2234.44 | 0 | 0 | 0 | 0 |
| | 五营林业局湿地区 | 1856.07 | 0 | 0 | 1856.07 | 0 | 0 |
| | 桃山林业局湿地区 | 3989.45 | 463.24 | 260.15 | 3266.06 | 0 | 0 |
| | 铁力林业局湿地区 | 9083.30 | 273.92 | 0 | 8809.38 | 0 | 0 |
| | 双丰林业局湿地区 | 16615.08 | 16615.08 | 0 | 0 | 0 | 0 |
| | 沾河林业局湿地区 | 99723.55 | 0 | 0 | 99723.55 | 0 | 0 |
| | 通北林业局湿地区 | 23475.27 | 23475.27 | 0 | 0 | 0 | 0 |
| | 绥棱林业局湿地区 | 24702.50 | 17410.49 | 0 | 7292.01 | 0 | 0 |
| | 兴隆林业局湿地区 | 2900.19 | 1679.44 | 581.68 | 639.07 | 0 | 0 |
| | 方正林业局湿地区 | 2803.50 | 0 | 279.07 | 2475.34 | 0 | 49.09 |
| | 苇河林业局湿地区 | 853.47 | 284.61 | 0 | 568.86 | 0 | 0 |
| | 亚布力林业局湿地区 | 1588.51 | 298.14 | 382.53 | 907.84 | 0 | 0 |
| | 山河屯林业局湿地区 | 4472.46 | 2222.68 | 305.13 | 1944.65 | 0 | 0 |
| | 林口林业局湿地区 | 2353.65 | 1476.26 | 155.76 | 721.63 | 0 | 0 |
| | 柴河林业局湿地区 | 8243.41 | 1379.88 | 0 | 6863.53 | 0 | 0 |
| | 海林林业局湿地区 | 3544.87 | 43.81 | 0 | 3501.06 | 0 | 0 |
| | 大海林林业局湿地区 | 2754.80 | 1512.40 | 0 | 1242.40 | 0 | 0 |
| | 东京城林业局湿地区 | 12322.74 | 639.55 | 0 | 11683.19 | 0 | 0 |
| | 八面通林业局湿地区 | 8103.50 | 8103.50 | 0 | 0 | 0 | 0 |
| | 穆棱林业局湿地区 | 5511.55 | 5511.55 | 0 | 0 | 0 | 0 |
| | 绥阳林业局湿地区 | 5235.36 | 5235.36 | 0 | 0 | 0 | 0 |
| | 清河林业局湿地区 | 7623.39 | 7185.80 | 0 | 437.59 | 0 | 0 |
| | 迎春林业局湿地区 | 1890.19 | 1222.39 | 14.55 | 653.25 | 0 | 0 |
| | 东方红林业局湿地区 | 16624.05 | 15392.79 | 167.09 | 1064.17 | 0 | 0 |
| | 桦南林业局湿地区 | 9833.68 | 3991.58 | 3154.92 | 2631.64 | 0 | 55.54 |
| | 双鸭山林业局湿地区 | 4702.20 | 2460.38 | 2241.82 | 0 | 0 | 0 |
| | 鹤北林业局湿地区 | 30611.07 | 18215.21 | 504.58 | 11891.28 | 0 | 0 |
| | 鹤立林业局湿地区 | 5660.70 | 3233.01 | 29.91 | 2397.78 | 0 | 0 |

（续）

| 地 市 | 湿地区 | 合 计 | 草本沼泽 | 灌丛沼泽 | 森林沼泽 | 季节性咸水沼泽 | 沼泽化草甸 |
|---|---|---|---|---|---|---|---|
| 大兴安岭 | 黑龙江干流湿地区 | 202785.88 | 5294.21 | 49719.88 | 146610.17 | 0 | 1161.62 |
| | 呼玛河湿地区 | 235026.47 | 40255.38 | 30526.99 | 162997.71 | 0 | 1246.39 |
| | 嫩江源头湿地区 | 805.77 | 805.77 | 0 | 0 | 0 | 0 |

## 5.4 各行政区的沼泽湿地型及面积

各行政区的沼泽湿地型及面积见表2-17，沼泽湿地分布如图2-10。

**表2-17 各行政区沼泽湿地型及面积**（公顷）

| 行政单位 | 合 计 | 草本沼泽 | 灌丛沼泽 | 森林沼泽 | 季节性咸水沼泽 | 沼泽化草甸 |
|---|---|---|---|---|---|---|
| 全 省 | 3864320.78 | 1984910.95 | 286427.31 | 1039912.51 | 145680.52 | 407389.49 |
| 哈尔滨 | 64834.47 | 59658.25 | 479.79 | 259.10 | 0 | 4437.33 |
| 齐齐哈尔 | 432079.37 | 390392.08 | 16635.98 | 0 | 1305.59 | 23745.72 |
| 鸡 西 | 28209.28 | 19380.27 | 5196.33 | 3632.68 | 0 | 0 |
| 鹤 岗 | 170973.91 | 129435.13 | 27304.49 | 5918.39 | 0 | 8315.90 |
| 双鸭山 | 259009.05 | 169632.84 | 404.50 | 0 | 79306.93 | 9664.78 |
| 大 庆 | 123757.75 | 91737.56 | 562.98 | 26510.71 | 0 | 4946.50 |
| 伊 春 | 68210.58 | 49876.38 | 16313.45 | 2020.75 | 0 | 0 |
| 佳木斯 | 70460.97 | 66722.66 | 775.91 | 1845.69 | 0 | 1116.71 |
| 七台河 | 21497.28 | 19515.61 | 0 | 1981.67 | 0 | 0 |
| 牡丹江 | 1790.42 | 0 | 0 | 0 | 0 | 1790.42 |
| 黑 河 | 480613.21 | 164766.84 | 7544.51 | 5981.9 | 0 | 302319.96 |
| 绥 化 | 257445.55 | 192377.55 | 0 | 0 | 65068.00 | 0 |
| 大兴安岭 | 1060022.93 | 159607.46 | 200859.11 | 691918.00 | 0 | 7638.36 |
| 森 工 | 825416.01 | 471808.32 | 10350.26 | 299843.62 | 0 | 43413.81 |

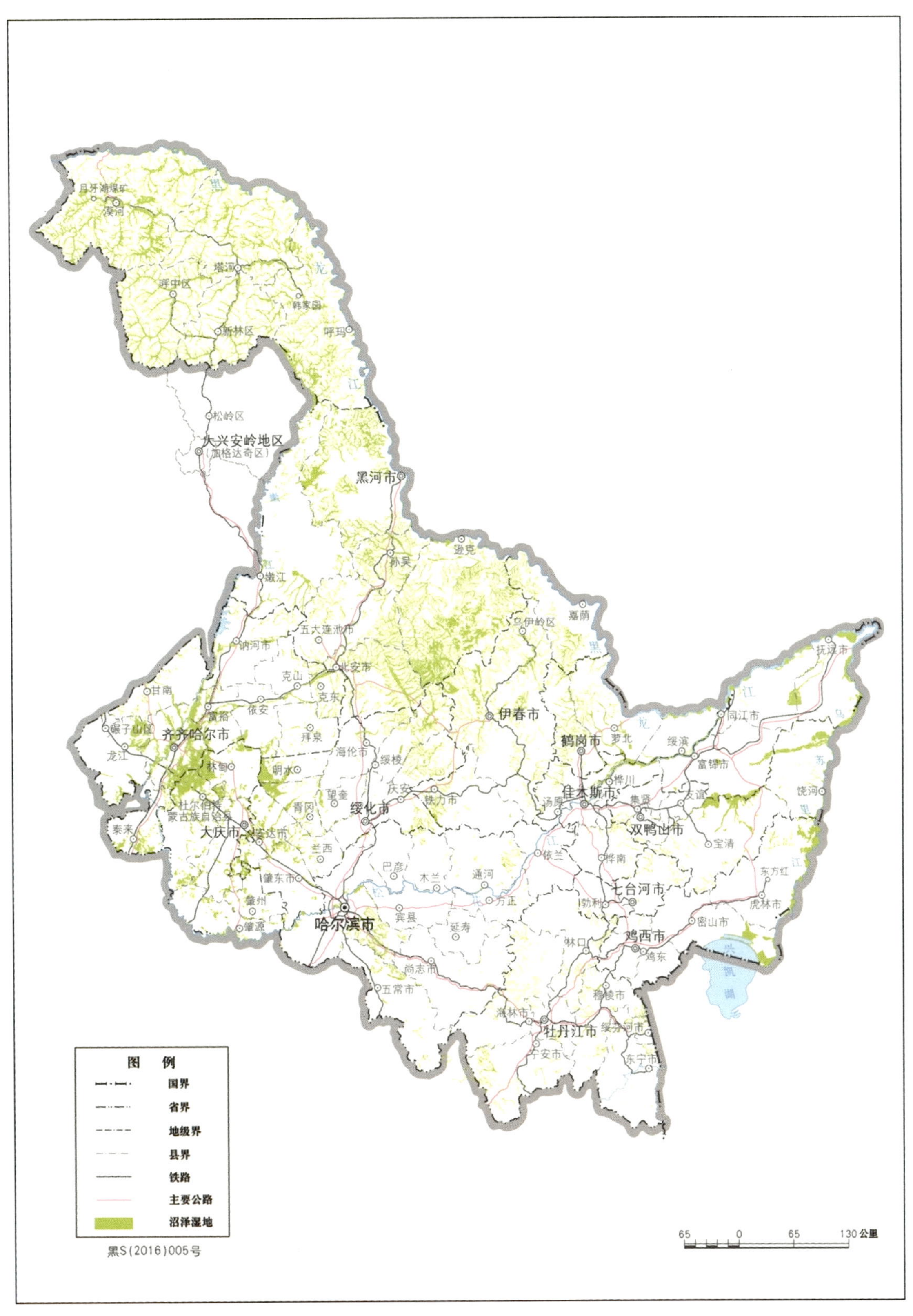


图 **2-10**　黑龙江省沼泽湿地分布图

# 6 人工湿地

人工湿地是指人工建造的蓄水面积大于8公顷库塘、运河/输水河(渠)及水产养殖蓄水区3个湿地型。本次调查人工湿地类面积18.95万公顷，占湿地面积3.68%。

## 6.1 各湿地型及面积

黑龙江省人工湿地面积及比例构成如图2-11。

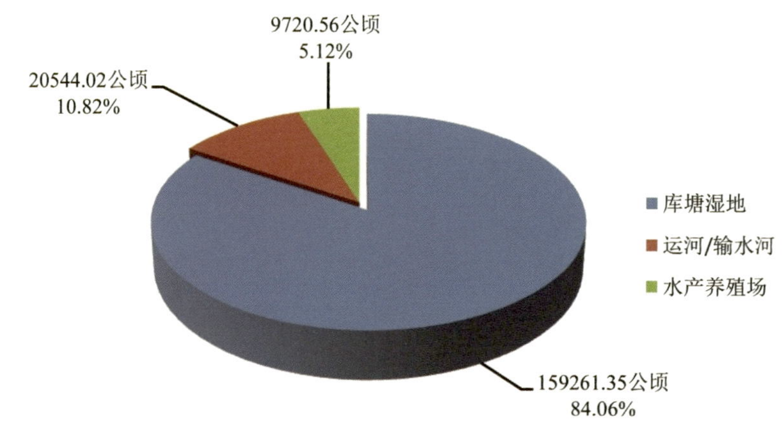


图2-11 黑龙江省人工湿地面积及比例构成图

### 6.1.1 库塘湿地

库塘湿地，是以蓄水发电、灌溉、居民生活、城市景观、为主要目的人工建造面积大于8公顷的蓄水区。此湿地类型主要分布于1033座中大型水库中。本次调查库塘面积15.93万公顷，占调查区人工湿地面积84.06%。

### 6.1.2 运河/输水河

运河/输水河湿地是指为输水或水运而建造的人工河流湿地，包括灌溉为主要目的的沟、渠，此湿地类型主要分布在一般调查区内。本次调查此湿地型面积2.05万公顷，占调查区人工湿地面积10.82%。

### 6.1.3 水产养殖场

水产养殖场湿地是以水产养殖为主要目的而修建的人工湿地。此湿地型主要分布在齐齐哈尔、泰来、甘南、克山、克东、勤得利湿地自然保护区19个湿地区内。本次调查此湿地型面积0.97万公顷，占调查区人工湿地面积5.12%。

## 6.2 各流域的人工湿地型及面积

在松花江一级流域中人工湿地面积18.95万公顷。分别为二级流域的黑龙江干流面积0.99万公顷；嫩江流域面积6.26万公顷；松花江(三岔口以下)流域面积8.88万公顷；乌苏里江流域面积2.82万公顷；绥芬河流域面积0.01万公顷。各流域河流湿地面积见表2-18。

表 2-18 各流域人工湿地型及面积(公顷)

| 流 域 | 合 计 | 库塘湿地 | 运河/输水河 | 水产养殖场 |
|---|---|---|---|---|
| 合 计 | 189525.93 | 159261.35 | 20544.02 | 9720.56 |
| 黑龙江干流 | 9853.32 | 8232.41 | 433.47 | 1187.44 |
| 尼尔基以上 | 11163.48 | 11163.48 | 0 | 0 |
| 尼尔基至江桥 | 37723.45 | 27429.67 | 3534.31 | 6759.47 |
| 江桥以下 | 13694.67 | 12448.62 | 1246.05 | 0 |
| 计 | 62581.60 | 51041.77 | 4780.36 | 6759.47 |
| 通河至佳木斯干流区间 | 7096.79 | 6209.70 | 714.43 | 172.66 |
| 哈尔滨至通河 | 32695.26 | 28682.07 | 2561.19 | 1452.00 |
| 佳木斯以下 | 17837.62 | 10871.02 | 6966.60 | 0 |
| 牡丹江 | 14612.04 | 14612.04 | 0 | 0 |
| 三岔口至哈尔滨 | 16511.66 | 14052.05 | 2310.62 | 148.99 |
| 计 | 88753.37 | 74426.88 | 12552.84 | 1773.65 |
| 穆棱河口以下 | 10247.13 | 7918.87 | 2328.26 | 0 |
| 穆棱河口以上 | 17965.51 | 17516.42 | 449.09 | 0 |
| 计 | 28212.64 | 25435.29 | 2777.35 | 0 |
| 绥芬河 | 125.00 | 125.00 | 0 | 0 |

## 6.3 各湿地区的人工湿地型及面积

各湿地区的人工湿地型及面积见表2-19、表2-20，人工湿地分布如图2-12。

表 2-19 单独区划湿地区的人工湿地型及面积(公顷)

| 湿地区 | 合 计 | 库塘湿地 | 运河/输水河 | 水产养殖场 |
|---|---|---|---|---|
| 黑龙江扎龙国家级自然保护区湿地区 | 837.36 | 837.36 | 0 | 0 |
| 黑龙江兴凯湖国家级自然保护区湿地区 | 91.58 | 61.28 | 30.30 | 0 |
| 黑龙江三江国家级自然保护区湿地区 | 17.14 | 0 | 17.14 | 0 |
| 黑龙江洪河国家级自然保护区湿地区 | 0 | 0 | 0 | 0 |
| 黑龙江八岔岛国家级自然保护区湿地区 | 0 | 0 | 0 | 0 |
| 黑龙江宝清七星河国家级自然保护区湿地区 | 0 | 0 | 0 | 0 |
| 黑龙江珍宝岛湿地国家级自然保护区湿地区 | 0 | 0 | 0 | 0 |
| 黑龙江挠力河国家级自然保护区湿地区 | 0 | 0 | 0 | 0 |
| 黑龙江嘟噜河湿地自然保护区湿地区 | 0 | 0 | 0 | 0 |
| 黑龙江小北湖省级自然保护区湿地区 | 0 | 0 | 0 | 0 |
| 黑龙江五大连池山口省级自然保护区湿地区 | 4985.06 | 4985.06 | 0 | 0 |
| 黑龙江大佳河省级自然保护区湿地区 | 120.20 | 0 | 120.20 | 0 |
| 黑龙江桦川湿地省级自然保护区湿地区 | 0 | 0 | 0 | 0 |

（续）

| 湿地区 | 合 计 | 库塘湿地 | 运河/输水河 | 水产养殖场 |
|---|---|---|---|---|
| 黑龙江三环泡省级自然保护区湿地区 | 0 | 0 | 0 | 0 |
| 黑龙江省宝清东升自然保护区湿地区 | 0 | 0 | 0 | 0 |
| 黑龙江集贤安邦河湿地自然保护区湿地区 | 39.16 | 0 | 39.16 | 0 |
| 黑龙江北安省级自然保护区湿地区 | 28.30 | 10.83 | 17.47 | 0 |
| 黑龙江大庆龙凤湿地自然保护区湿地区 | 30.35 | 0 | 30.35 | 0 |
| 黑龙江乌苏里江自然保护区湿地区 | 0 | 0 | 0 | 0 |
| 黑龙江勤得利自然保护区湿地区 | 1166.79 | 0 | 0 | 1166.79 |
| 黑龙江省虎口湿地省级自然保护区湿地区 | 0 | 0 | 0 | 0 |
| 黑龙江哈拉海自然保护区湿地区 | 0 | 0 | 0 | 0 |
| 黑龙江水莲省级自然保护区湿地区 | 187.13 | 171.47 | 15.66 | 0 |
| 黑龙江乌裕尔河省级自然保护区湿地区 | 144.07 | 0 | 144.07 | 0 |
| 黑龙江细鳞河自然保护区湿地区 | 527.23 | 527.23 | 0 | 0 |
| 黑龙江公别拉河省级自然保护区湿地区 | 350.04 | 350.04 | 0 | 0 |
| 黑龙江肇东沿江省级自然保护区湿地区 | 0 | 0 | 0 | 0 |
| 黑龙江省黑鱼泡省级自然保护区湿地区 | 0 | 0 | 0 | 0 |
| 黑龙江绥滨两江湿地省级自然保护区湿地区 | 0 | 0 | 0 | 0 |
| 黑龙江明水湿地省级自然保护区湿地区 | 0 | 0 | 0 | 0 |
| 黑龙江讷谟尔河湿地省级自然保护区湿地区 | 52.56 | 0 | 52.56 | 0 |
| 黑龙江乌裕尔河—双阳河省级自然保护区湿地区 | 2567.93 | 2567.93 | 0 | 0 |
| 黑龙江佳木斯沿江湿地省级保护区湿地区 | 120.00 | 120.00 | 0 | 0 |
| 黑龙江西洼荒湿地省级自然保护区湿地区 | 868.11 | 742.92 | 0 | 125.19 |
| 黑龙江肇源沿江湿地自然保护区湿地区 | 0 | 0 | 0 | 0 |
| 黑龙江富锦沿江湿地自然保护区湿地区 | 0 | 0 | 0 | 0 |
| 黑龙江嘉荫平阳河湿地自然保护区湿地区 | 0 | 0 | 0 | 0 |
| 黑龙江呼兰河口湿地省级自然保护区湿地区 | 116.17 | 0 | 0 | 116.17 |
| 黑龙江孙吴红旗湿地自然保护区湿地区 | 0 | 0 | 0 | 0 |
| 黑龙江黑瞎子岛湿地省级自然保护区湿地区 | 0 | 0 | 0 | 0 |
| 黑龙江白渔泡湿地公园湿地区 | 124.89 | 124.89 | 0 | 0 |
| 黑龙江太阳岛湿地公园湿地区 | 19.09 | 19.09 | 0 | 0 |
| 黑龙江五大连池省级自然保护区湿地区 | 100.89 | 100.89 | 0 | 0 |
| 黑龙江美人湖自然保护区(拟建)湿地区 | 667.61 | 667.61 | 0 | 0 |
| 黑龙江乌伊岭自然保护区湿地区 | 0 | 0 | 0 | 0 |

（续）

| 湿地区 | 合 计 | 库塘湿地 | 运河/输水河 | 水产养殖场 |
|---|---|---|---|---|
| 黑龙江新青白头鹤自然保护区湿地区 | 0 | 0 | 0 | 0 |
| 黑龙江红星湿地自然保护区湿地区 | 374.88 | 374.88 | 0 | 0 |
| 黑龙江翠北湿地自然保护区湿地区 | 0 | 0 | 0 | 0 |
| 黑龙江库尔滨河湿地自然保护区湿地区 | 0 | 0 | 0 | 0 |
| 黑龙江友好湿地自然保护区湿地区 | 0 | 0 | 0 | 0 |
| 黑龙江大沾河湿地自然保护区湿地区 | 0 | 0 | 0 | 0 |
| 黑龙江南北河自然保护区湿地区 | 0 | 0 | 0 | 0 |
| 黑龙江努敏河湿地自然保护区湿地区 | 0 | 0 | 0 | 0 |
| 黑龙江带岭碧水秋沙鸭自然保护区湿地区 | 0 | 0 | 0 | 0 |
| 黑龙江东方红湿地自然保护区湿地区 | 0 | 0 | 0 | 0 |
| 汤旺河湿地区 | 55.60 | 55.60 | 0 | 0 |
| 黑龙江新青国家级湿地公园湿地区 | 0 | 0 | 0 | 0 |
| 黑龙江干流湿地区 | 0 | 0 | 0 | 0 |
| 呼玛河湿地区 | 0 | 0 | 0 | 0 |
| 嫩江源头湿地区 | 0 | 0 | 0 | 0 |

**表 2-20 零星湿地区的人工湿地型及面积**（公顷）

| 地 市 | 湿地区 | 合 计 | 库塘湿地 | 运河/输水河 | 水产养殖场 |
|---|---|---|---|---|---|
| 哈尔滨 | 哈尔滨市零星湿地区 | 1738.07 | 1738.07 | 0 | 0 |
| | 呼兰区零星湿地区 | 4415.54 | 4415.54 | 0 | 0 |
| | 阿城区零星湿地区 | 1221.29 | 1221.29 | 0 | 0 |
| | 依兰县零星湿地区 | 1817.60 | 1530.27 | 114.67 | 172.66 |
| | 方正县零星湿地区 | 774.41 | 719.25 | 0 | 55.16 |
| | 宾县零星湿地区 | 958.29 | 931.74 | 0 | 26.55 |
| | 巴彦县零星湿地区 | 1720.01 | 1150.75 | 0 | 569.26 |
| | 木兰县零星湿地区 | 466.14 | 466.14 | 0 | 0 |
| | 通河县零星湿地区 | 424.94 | 424.94 | 0 | 0 |
| | 延寿县零星湿地区 | 1317.17 | 1073.28 | 0 | 243.89 |
| | 双城市零星湿地区 | 3676.01 | 1970.48 | 1577.67 | 127.86 |
| | 尚志市零星湿地区 | 1870.18 | 1766.23 | 0 | 103.95 |
| | 五常市零星湿地区 | 4312.84 | 3751.35 | 540.36 | 21.13 |

（续）

| 地 市 | 湿地区 | 合 计 | 库塘湿地 | 运河/输水河 | 水产养殖场 |
|---|---|---|---|---|---|
| 齐齐哈尔 | 齐齐哈尔市零星湿地区 | 3718.18 | 300.71 | 63.50 | 3353.97 |
| | 龙江县零星湿地区 | 460.29 | 460.29 | 0 | 0 |
| | 依安县零星湿地区 | 756.20 | 529.51 | 226.69 | 0 |
| | 泰来县零星湿地区 | 939.88 | 0 | 0 | 939.88 |
| | 甘南县零星湿地区 | 3856.57 | 1195.82 | 1076.49 | 1584.26 |
| | 富裕县零星湿地区 | 1406.41 | 0 | 1406.41 | 0 |
| | 克山县零星湿地区 | 1079.91 | 584.29 | 85.40 | 410.22 |
| | 克东县零星湿地区 | 471.14 | 0 | 0 | 471.14 |
| | 拜泉县零星湿地区 | 1885.16 | 1885.16 | 0 | 0 |
| | 讷河市零星湿地区 | 19291.42 | 18829.70 | 461.72 | 0 |
| 鸡 西 | 鸡西市零星湿地区 | 1020.99 | 1020.99 | 0 | 0 |
| | 鸡东县零星湿地区 | 2275.42 | 2275.42 | 0 | 0 |
| | 虎林市零星湿地区 | 8626.26 | 8379.18 | 247.08 | 0 |
| | 密山市零星湿地区 | 5873.93 | 5702.22 | 171.71 | 0 |
| 鹤 岗 | 鹤岗市零星湿地区 | 2125.32 | 2052.06 | 73.26 | 0 |
| | 萝北县零星湿地区 | 582.68 | 272.01 | 304.41 | 6.26 |
| | 绥滨县零星湿地区 | 211.85 | 0 | 211.85 | 0 |
| 双鸭山 | 双鸭山市零星湿地区 | 951.70 | 951.70 | 0 | 0 |
| | 集贤县零星湿地区 | 574.42 | 574.42 | 0 | 0 |
| | 友谊县零星湿地区 | 1102.28 | 791.73 | 310.55 | 0 |
| | 宝清县零星湿地区 | 7371.19 | 6769.57 | 601.62 | 0 |
| | 饶河县零星湿地区 | 1636.08 | 46.78 | 1589.30 | 0 |
| 大 庆 | 大庆市零星湿地区 | 8334.66 | 8142.07 | 192.59 | 0 |
| | 肇州县零星湿地区 | 1243.85 | 1160.78 | 83.07 | 0 |
| | 肇源县零星湿地区 | 1607.22 | 1430.95 | 176.27 | 0 |
| | 林甸县零星湿地区 | 330.06 | 0 | 330.06 | 0 |
| | 杜尔伯特蒙古族自治县零星湿地区 | 68.04 | 0 | 68.04 | 0 |
| 伊 春 | 嘉荫县零星湿地区 | 0 | 0 | 0 | 0 |
| | 铁力市零星湿地区 | 101.04 | 101.04 | 0 | 0 |
| 佳木斯 | 佳木斯市零星湿地区 | 1625.49 | 1318.18 | 307.31 | 0 |
| | 桦南县零星湿地区 | 1755.66 | 1755.66 | 0 | 0 |
| | 桦川县零星湿地区 | 756.08 | 345.38 | 410.70 | 0 |

（续）

| 地　市 | 湿地区 | 合　计 | 库塘湿地 | 运河/输水河 | 水产养殖场 |
| --- | --- | --- | --- | --- | --- |
| 佳木斯 | 汤原县零星湿地区 | 1079.25 | 786.80 | 292.45 | 0 |
| | 抚远县零星湿地区 | 26.77 | 12.38 | 0 | 14.39 |
| | 同江市零星湿地区 | 379.86 | 379.86 | 0 | 0 |
| | 富锦市零星湿地区 | 5753.16 | 0 | 5753.16 | 0 |
| 七台河 | 七台河市零星湿地区 | 1633.46 | 1633.46 | 0 | 0 |
| | 勃利县零星湿地区 | 2827.69 | 2546.37 | 281.32 | 0 |
| 牡丹江 | 牡丹江市零星湿地区 | 507.36 | 507.36 | 0 | 0 |
| | 东宁县零星湿地区 | 37.81 | 37.81 | 0 | 0 |
| | 林口县零星湿地区 | 587.57 | 587.57 | 0 | 0 |
| | 绥芬河市零星湿地区 | 87.19 | 87.19 | 0 | 0 |
| | 海林市零星湿地区 | 388.80 | 388.80 | 0 | 0 |
| | 宁安市零星湿地区 | 896.16 | 896.16 | 0 | 0 |
| | 穆棱市零星湿地区 | 63.52 | 63.52 | 0 | 0 |
| 黑　河 | 爱辉区零星湿地区 | 1776.69 | 1776.69 | 0 | 0 |
| | 嫩江县零星湿地区 | 1731.50 | 1731.50 | 0 | 0 |
| | 逊克县零星湿地区 | 122.25 | 122.25 | 0 | 0 |
| | 孙吴县零星湿地区 | 0 | 0 | 0 | 0 |
| | 北安市零星湿地区 | 3341.24 | 3341.24 | 0 | 0 |
| | 五大连池市零星湿地区 | 4360.97 | 4360.97 | 0 | 0 |
| 绥　化 | 绥化市零星湿地区 | 4703.94 | 2523.13 | 2180.81 | 0 |
| | 望奎县零星湿地区 | 186.52 | 186.52 | 0 | 0 |
| | 兰西县零星湿地区 | 677.73 | 600.51 | 77.22 | 0 |
| | 青冈县零星湿地区 | 443.55 | 304.48 | 139.07 | 0 |
| | 庆安县零星湿地区 | 403.28 | 339.00 | 64.28 | 0 |
| | 明水县零星湿地区 | 617.90 | 617.90 | 0 | 0 |
| | 绥棱县零星湿地区 | 968.30 | 968.30 | 0 | 0 |
| | 安达市零星湿地区 | 1069.70 | 677.89 | 391.81 | 0 |
| | 肇东市零星湿地区 | 3430.87 | 3264.42 | 166.45 | 0 |
| | 海伦市零星湿地区 | 5444.62 | 5132.98 | 99.81 | 211.83 |
| 森　工 | 乌伊岭林业局湿地区 | 4709.80 | 4709.80 | 0 | 0 |
| | 新青林业局湿地区 | 0 | 0 | 0 | 0 |
| | 红星林业局湿地区 | 0 | 0 | 0 | 0 |

（续）

| 地 市 | 湿地区 | 合 计 | 库塘湿地 | 运河/输水河 | 水产养殖场 |
|---|---|---|---|---|---|
| 森 工 | 五营林业局湿地区 | 0 | 0 | 0 | 0 |
| | 桃山林业局湿地区 | 102.58 | 102.58 | 0 | 0 |
| | 铁力林业局湿地区 | 0 | 0 | 0 | 0 |
| | 双丰林业局湿地区 | 555.83 | 555.83 | 0 | 0 |
| | 沾河林业局湿地区 | 996.06 | 996.06 | 0 | 0 |
| | 通北林业局湿地区 | 70.03 | 70.03 | 0 | 0 |
| | 绥棱林业局湿地区 | 126.94 | 126.94 | 0 | 0 |
| | 兴隆林业局湿地区 | 1799.59 | 1799.59 | 0 | 0 |
| | 方正林业局湿地区 | 14.80 | 14.80 | 0 | 0 |
| | 苇河林业局湿地区 | 17.41 | 17.41 | 0 | 0 |
| | 亚布力林业局湿地区 | 62.02 | 62.02 | 0 | 0 |
| | 山河屯林业局湿地区 | 2761.49 | 2761.49 | 0 | 0 |
| | 林口林业局湿地区 | 93.70 | 93.70 | 0 | 0 |
| | 柴河林业局湿地区 | 11433.27 | 11433.27 | 0 | 0 |
| | 海林林业局湿地区 | 0 | 0 | 0 | 0 |
| | 大海林林业局湿地区 | 13.91 | 13.91 | 0 | 0 |
| | 东京城林业局湿地区 | 666.05 | 666.05 | 0 | 0 |
| | 八面通林业局湿地区 | 0 | 0 | 0 | 0 |
| | 穆棱林业局湿地区 | 24.23 | 24.23 | 0 | 0 |
| | 绥阳林业局湿地区 | 0 | 0 | 0 | 0 |
| | 清河林业局湿地区 | 0 | 0 | 0 | 0 |
| | 迎春林业局湿地区 | 370.61 | 370.61 | 0 | 0 |
| | 东方红林业局湿地区 | 574.25 | 574.25 | 0 | 0 |
| | 桦南林业局湿地区 | 157.66 | 157.66 | 0 | 0 |
| | 双鸭山林业局湿地区 | 526.31 | 526.31 | 0 | 0 |
| | 鹤北林业局湿地区 | 0 | 0 | 0 | 0 |
| | 鹤立林业局湿地区 | 37.83 | 37.83 | 0 | 0 |
| 大兴安岭 | 黑龙江干流湿地区 | 491.64 | 491.64 | 0 | 0 |
| | 呼玛河湿地区 | 28.25 | 28.25 | 0 | 0 |
| | 嫩江源头湿地区 | 0 | 0 | 0 | 0 |

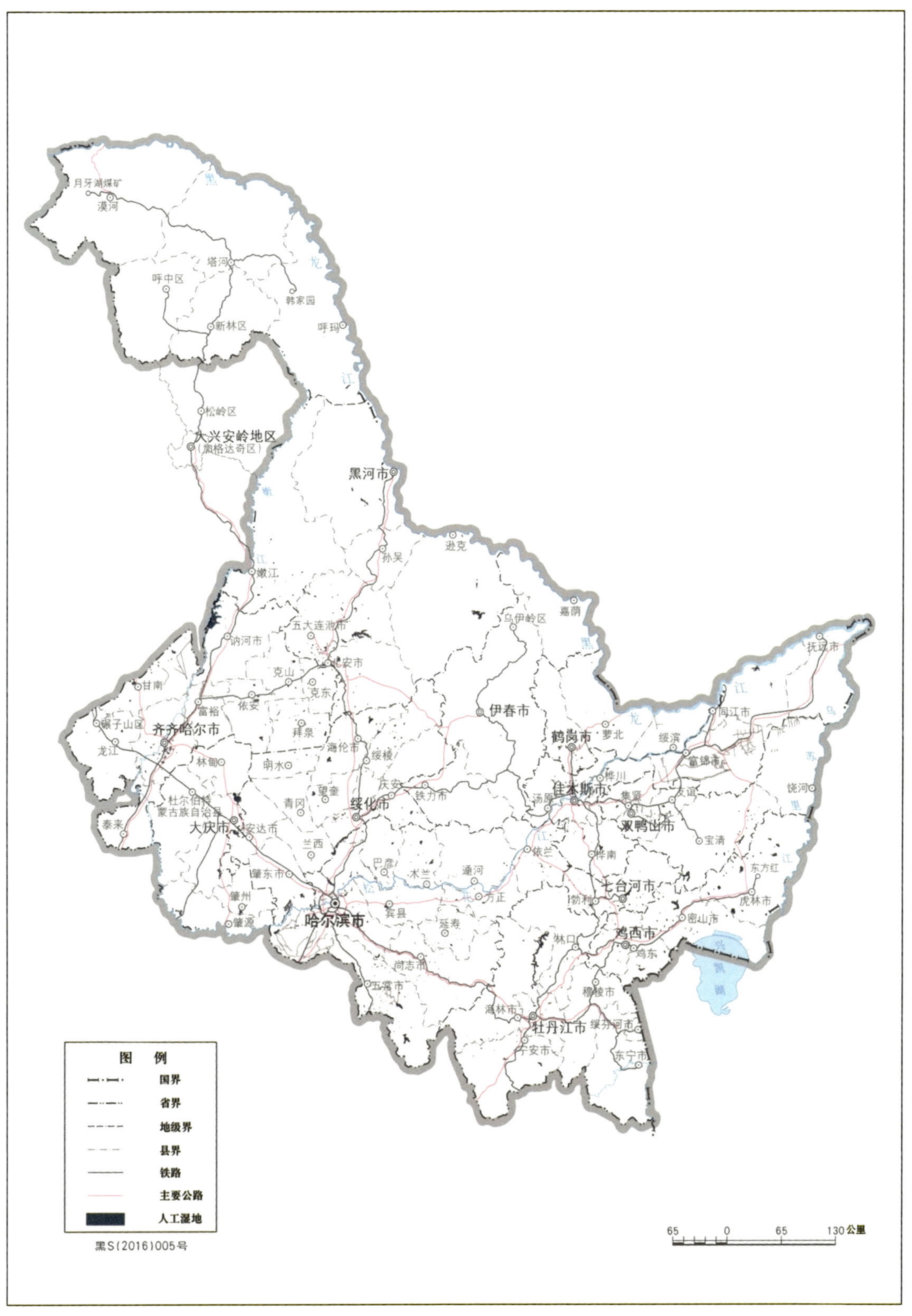


图 **2-12**　黑龙江省人工湿地分布图

# 第三章
# 湿地生物资源

## 第一节
## 湿地植物与植被

### 1 湿地植物区系和植物种类

黑龙江省地处温带向寒温带过渡地带，植物区系和植物组成种类较为复杂，分属于3个植物区系，即大兴安岭为东西伯利亚植物区系；小兴安岭、东部山地、三江平原为长白植物区系；松嫩平原为蒙古植物区系。

全省湿地高等植物(苔藓、蕨类、裸子植物、被子植物)688种，隶属于93科292属。其中苔藓类植物12科13属28种；蕨类植物6科6属6种；裸子植物1科4属7种；被子植物74科267属647种。

黑龙江省分布有东北红豆杉、红松、兴凯湖松、紫椴、水曲柳、钻天柳、黄檗、野大豆、莲、松口蘑和乌苏里狐尾藻等11种国家重点保护野生植物。其中，东北红豆杉为国家Ⅰ级保护野生植物。

### 2 湿地植被类型和分布

#### 2.1 分类单位

(1)植被型组：是湿地植被分类系统的最高级单位，由建群种生活型相近、生境相似的植物群落联合而成。如沼泽、水生植物湿地等。

(2)植被型：是湿地植被分类系统中最重要的高级单位。在植被型组内，根据建群种的生活型的异同而划分。如沼泽湿地可进一步分为森林沼泽型、灌丛沼泽型、草本沼泽型和藓类沼泽型等。

(3)群系：植被分类中最重要的中级单位。以建群种或优势种相同的群丛或群丛组归纳而成。

(4)优势植物：对群落结构和群落环境形成明显控制作用的植物。

#### 2.2 湿地植被型组(植被型)及分布

全省按湿地植被分类系统，共划分为5个植被型组、10个植被型、41个群系。具体情况如下：

### 2.2.1　针叶林湿地植被型组

#### 2.2.1.1　寒温性针叶林湿地植被型

(1)兴安落叶松群系：大小兴安岭河漫滩、平缓沟谷等地。

(2)红皮云杉群系：大小兴安岭河漫滩、平缓沟谷等地。

(3)长白落叶松群系：松嫩平原、三江平原、小兴安岭林区、东部山区

### 2.2.2　阔叶林湿地植被型组

#### 2.2.2.1　落叶阔叶林湿地植被型

(4)白桦群系：全省各地的河谷漫滩、低洼湿地。

(5)赤杨群系：主要分布在河流两岸平坦低湿处。

### 2.2.3　灌丛湿地植被型组

#### 2.2.3.1　落叶阔叶灌丛湿地植被型

(6)蒿柳群系：分布于海拔较低的河岸边及溪边。

(7)柴桦群系：分布大兴安岭高河漫滩，季节性积水地段。

(8)扇叶桦群系：仅分布于大兴安岭海拔较高的低洼地段。

(9)细叶沼柳群系：分布沿河支流季节性积水沼泽地。

(10)绣线菊群系：大小兴安岭、长白山河岸林缘。

(11)越橘群系：大兴安岭地区。

#### 2.2.3.2　盐生灌丛湿地植被型

(12)碱蓬群系：松嫩平原西部地带。

### 2.2.4　草丛湿地植被型组

#### 2.2.4.1　莎草型湿地植被型

(13)粗脉薹草群系：广泛分布于全省的泥炭沼泽湿地。

(14)修氏(臌囊)薹草群系：分布于低洼山区和三江平原。

(15)毛薹草群系：分布湖泊、河边及三江平原的河漫滩。

(16)踏头薹草群系：松嫩平原松花江和嫩江的河滩。

(17)荆三棱藨草群系：分布于全省各地。

(18)羊胡子草群系：分布于大小兴安岭的沟谷和河谷阶地。

(19)乌拉薹草沼泽群系：分布大小兴安岭和长白山地沼泽地。

(20)漂筏薹草群系：三江平原流速缓慢河流或河滩、洼地中。

#### 2.2.4.2　禾草型湿地植被型

(21)小叶章群系：分布林缘、常季节性积水沼泽化草甸湿地。

(22)芦苇群系：分布古河床、河流沿岸及沙区低地。

(23)狭叶甜茅群系：分布流水缓慢的河流两岸及浅水洼地。

(24)拂子茅群系：主要分布松嫩平原。

(25)星星草群系：分布于松嫩平原河滩或丘间碟形低洼地。

(26)稗群系：分布于河边洪泛湿地、荒芜水田或沟渠中。

(27)羊草群系：松嫩平原、三江平原、小兴安岭林区、东部山区

(28)大叶章群系：松嫩平原、三江平原、小兴安岭林区、东部山区

(29)碱蒿群系：松嫩平原、三江平原

2.2.4.3 杂类草湿地植被型

(30)香蒲沼泽群系：分布全省湖泊、山间洼地的泡沼中。

(31)狭叶香蒲群系：分布于湖泊边。

(32)菖蒲群系：分布于全省的湖滩、洼地。

(33)水木贼群系：主要分布于潮湿山地、三江平原沼泽湿地。

### 2.2.5 浅水植物湿地植被型组

2.2.5.1 漂浮植物型

(34)浮萍群系：全省各地池塘、水沟和稻田等水面。

2.2.5.2 浮叶植物型

(35)菱群系：分布于各地湖泡中，野生、栽培均有。

(36)莲群系：分布于各地湖泡中，野生、栽培均有。

(37)浮叶眼子菜群系：分布于全省各地湖泊中。

(38)睡莲群系：分布于全省各地湖泡中。

(39)荇菜群系：分布于全省各地湖泡、湖湾、池塘和沟渠中。

2.2.5.3 沉水植物型

(40)龙须眼子菜群系：分布于全省各地湖泊中。

(41)轮叶狐尾藻群系：分布于浅水湖泊、池塘、水沟和水田。

## 3 湿地植被的保护和利用情况

### 3.1 湿地植物保护

黑龙江省已经出台了《黑龙江省湿地保护条例》《黑龙江省野生药材资源保护条例》《黑龙江省草原条例》等地方法规，对包括湿地植物在内的野生植物资源保护做了有关规定。目前，黑龙江省自然保护区内禁止放牧，对国家重点保护野生植物，严格执行采集证管理制度。

湿地植物是重要的可再生资源，只有保护好才能提高湿地生态系统功能，使其可持续利用。保护湿地植物应做好以下几方面工作：

(1)制定相关的保护政策、法规，用法律约束人们对资源的无限制开采；

(2)严格保护管理，科学规划，有计划有步骤的开发利用；

(3)减少对湿地生态环境的破坏和污染；

(4)对稀有或有利用价值的湿地植物进行人工培养和种植。

### 3.2 湿地植物合理利用

湿地植物与人类的生活有着密切的关系，不仅向人类提供粮食、蔬菜、纸张、人造纤维、包装填料、手工业纺织原料、饲料、肥料等；还可净化污水，美化环境和开发旅游业。湿地植物多

数为重要的经济植物，许多已成为地方经济的重要组成部分。

(1)造纸、编织。用于造纸和编织材料的植物种类很多，如芦苇、小叶章、薹草等是造纸原料，尤其是芦苇更为著名，可提供为制造高级纸张的原料；绢柳等是手工编织业的主要原料，可编织筐篓等用具及工艺品，不仅内销，还可出口创汇，增加经济收入，繁荣地方经济，菖蒲和香蒲也是编织原料之一。

(2)食用或药用。很多湿地植物均可食用和药用。芦苇的嫩茎可吃，根茎可提取淀粉、蛋白及糖，芦根可入药；莲的根茎可吃，又可提取藕粉，还可生食、熟吃或糖渍。莲心、藕节、莲须(雄芯)均可入药，莲叶不但可药用，也可用于包装食品；芡实的种子是著名的健脾补肾，主治遗精的中药；泽泻、水车前等有清热利尿、消肿的作用；槐叶苹、鸭舌草有清热解毒的功能；菱角的果实可入药或食用等。

(3)酿酒或提取淀粉。湿地植物中有许多种类有丰富的淀粉，人们在长期生产实践中，利用植物提取淀粉或酿酒。

(4)牲畜饲料。湿地植物中可以用以牲畜饲料的种类繁多，如禾本科和莎草科中的种类几乎均可作为饲料或在某一个生长期可作饲料；在杂类草和藻类中也不乏可作饲料的种类，如浮萍、水车前、苦草、茨藻、黑藻、水鳖、荇菜、菱角的茎叶等。有的还是家禽的优良饲料，如水鳖和荇菜。

(5)压制绿肥。大多数的湿地植物是很好的沤制绿肥植物。因其纤维少，水分多，易于腐烂，能释放出大量 N、P、K 等营养元素。

(6)净化污水。芦苇、水藻等植物对水体能起到净化的作用，吸收水中的有毒物质，减少水体的污染程度。

(7)园艺、旅游、观赏。许多湿地植物具有很高的观赏价值，被人们用于造园美化环境。如莲，可观花赏叶，在园林建设中是不可缺少的品种。一望无垠的芦苇荡，是观赏旅游的好去处，驾船游弋其中，如入青纱帐一般。除此之外睡莲、金莲花、驴蹄菜、马先蒿、燕子花等植物都具有很高的观赏价值。

# 第二节
# 湿地动物资源

## 1　湿地野生动物种类和特点

黑龙江省湿地野生动物资源丰富，种类繁多。有湿地野生动物(脊椎动物)6 纲 27 目 61 科 330 种，其中鱼类 2 纲 8 目 22 科 106 种，两栖类 2 目 6 科 12 种，爬行类 2 目 2 科 5 种，鸟类 13 目 26 科 196 种，哺乳类 2 目 5 科 11 种。有东北虎、丹顶鹤、虎头海雕、玉带海雕、白尾海雕、中华秋沙鸭等国家Ⅰ级保护野生动物 17 种，大天鹅、鸳鸯、白枕鹤等国家Ⅱ级保护野生动物 66 种。

黑龙江省的自然地理特征对湿地动物的分布及生态特征有明显的影响，并形成与其相适应的生态地理动物种类。兽类的区系成分以古北界为主。鸟类组成中以候鸟占优势，有明显的季节性。夏季鸟类组成丰富，冬季鸟类单调。本省鸟类既有古北界种类，又有东洋界的种类，但古北界成分占优势。很多鸟类的生活与湿地环境密切相关，如丹顶鹤、白鹤、白琵鹭、大天鹅、鸳鸯等。

根据全省的自然条件的差异，将动物分布划分为 4 个区。

### 1.1 北部大兴安岭山地丘陵区

包括黑河市的爱辉区全部及孙吴县北黑公路以西部分地区，在动物区划上属东北区的大兴安岭亚区。在此区内分布的湿地动物，主要活动在河流、沼泽和沟谷等地。兽类有棕熊、水獭等。鸟类区系中，与东北区长白山亚区相近似，有苍鹭、东方白鹳、鸿雁、大天鹅 、花脸鸭、绿头鸭、鸳鸯、丹顶鹤、灰斑鸻、银鸥等。

### 1.2 东部山地丘陵区

包括小兴安岭、张广才岭、老爷岭和完达山的山地和丘陵地区，在动物地理区划中属东北区的长白山亚区。此区分布的湿地动物主要活动于河流、山间谷地及沼泽地，栖息的兽类比较多，主要有东北虎、黑熊、棕熊、水獭等珍贵动物，还有极为常见的小型动物花鼠等；两栖动物有东北小鲵、极北鲵、东北林蛙；爬行类有黑龙江林蛙、虎斑劲槽蛇、鳖等；鸟类有普通鸬鹚、凤头䴙䴘、苍鹭、草鹭、鸿雁、豆雁、绿头鸭、花脸鸭、鸳鸯、中华秋沙鸭等。

### 1.3 松嫩平原区

属于动物地理区划中东北区的松辽平原亚区。本区的湿地动物主要活动于河流、湖泊、沼泽。主要兽类有狼、赤狐、黄鼬、狗獾、麝鼠、草原黄鼠等常见种；两栖类有东北林蛙、东北雨蛙等；爬行类有鳖；鸟类主要有东方白鹳、金雕、白头鹤、丹顶鹤、白鹤、大鸨、角䴙䴘、赤颈䴙䴘、白琵鹭、白额雁、大天鹅、小天鹅、黑鸢、苍鹰、雀鹰、松雀鹰、草原雕、乌雕、白尾鹞、鹗、灰鹤等。

### 1.4 三江平原区

包括由黑龙江、松花江及乌苏里江冲积而形成的三江平原及其完达山南部由兴凯湖和穆棱河湖积、冲积平原两部分组成，在动物地理区划中为东北区的长白山亚区。在湿地活动的主要动物有水獭、狼、赤狐、貉、黄鼬、极北鲵、黑龙江林蛙、东方白鹳、黑鹳、丹顶鹤、白头鹤、白尾海雕、虎头海雕、大天鹅、鸳鸯等。

## 2 湿地鸟类

湿地鸟类是湿地野生动物的重要组成部分，它处于湿地生态系统的能量金字塔的顶端，对湿地的变化表现非常敏感。黑龙江省湿地的多样性，为水禽的栖息繁殖提供了良好的生活和生存条件。

### 2.1 湿地鸟类的种类和分布

黑龙江省湿地鸟类主要分布于松嫩平原和三江平原的河流、湖泊、沼泽等湿地。

松嫩平原主要有苍鹭、鸿雁、豆雁、赤麻鸭、花脸鸭、绿头鸭、鸳鸯、普通秋沙鸭、骨顶鸡、凤头麦鸡、灰斑鸻、海鸥、普通燕鸥、普通鸬鹚、苍鹭、草鹭、大白鹭、东方白鹳、白琵鹭、鸿雁、豆雁、大天鹅、绿翅鸭、罗纹鸭、斑嘴鸭、赤颈鸭、鹊鸭、鸢、白尾海雕、白尾鹞、游隼、丹顶鹤、白枕鹤、小田鸡、金眶鸻、矶鹬、银鸥等。

三江平原主要有白尾海雕、白尾鹞、游隼、丹顶鹤、白枕鹤、小田鸡、骨顶鸡、凤头麦鸡、金眶鸻、矶鹬、银鸥等。

## 2.2 湿地鸟类的数量

黑龙江省湿地鸟类共有191种，占全省鸟类的52.9%。在这些鸟类中列入国家级保护的有47种。其中国家Ⅰ级保护的物种10种，即黑鹳、东方白鹳、丹顶鹤、白头鹤、白鹤、金雕、白尾海雕、虎头海雕、玉带海雕、中华秋沙鸭；国家Ⅱ级保护物种36种，有角䴙䴘、赤颈䴙䴘、白琵鹭、白额雁、大天鹅、小天鹅、鸢、苍鹰、雀鹰、白尾鹞、鹊鹞、白腹鹞、鹗、灰鹤、小杓鹬、鸳鸯等。另有《中日候鸟保护协定》保护鸟类65种。

鸟类按居留型可分为2类：候鸟、留鸟。候鸟又分为夏候鸟和冬候鸟。黑龙江省候鸟的迁徙主要发生在春秋两季，春季候鸟迁徙从3月开始，4月进入迁徙旺季，5月底6月初结束。秋季候鸟迁徙从9月中旬开始，11月中旬结束。迁徙路线以南北向为主。由于许多夏候鸟和旅鸟季节性的迁来和过境，使全省鸟类形成2个季节性高峰，即春季和秋季。春季，大批候鸟从越冬地迁来，秋季向越冬地南迁。整个冬季则由留鸟和冬候鸟组成，冬季的鸟类较夏季少。

黑龙江省有野生丹顶鹤约800只，东方白鹳约200只，黑鹳6只，中华秋沙鸭126只，白头鹤约500只，大天鹅70只，鸳鸯3263只，白枕鹤104只，蓑羽鹤25只。

## 2.3 栖息地及其保护状况

湿地是鸟类，尤其是水鸟类的主要栖息地，黑龙江省境内的湿地为多种鸟类提供了生存、繁殖场所。但由于气候的变化，人为开垦湿地和人类对自然环境的污染等因素，致使鸟类的生存空间越来越小，环境质量下降。三江平原是我国最大的沼泽地，有湿地鸟类168种。从20世纪80年代初期起，进入了迅速开发时期。开发中基本上是谁投资、谁开发、谁利用，各部门各自为政，多头管理。开发者只顾及本部门的生产利益，而不考虑湿地生态系统的多种功能，严重的影响了湿地资源的合理利用与保护。由于缺乏统一规划，湿地资源遭到破坏，面积缩小。开垦后单一经营，垦建失调带来了生态环境恶化，野生动植物资源显著减少，区域小气候恶化；松嫩平原芦苇沼泽广布于平原内的湖滨、沼泽及河漫滩，起到了保持水土、净化环境的重要作用，更是鸟类的栖息、繁殖的良好场所。但由于放牧割苇、断水种地，放水捕鱼等破坏现象屡见不鲜，苇塘的面积处于不稳定状态，每年都在减少，鸟类的生存环境也越来越受到威胁。

黑龙江省委、省政府及有关部门对湿地、鸟类资源的保护非常重视，制定了有关湿地和鸟类保护的法律和法规，对湿地与鸟类的保护做到了有法可依。利用报纸、电台、电视等媒体进行大量宣传，提高人们保护意识。同时加强科学研究，建立和完善湿地保护区和研究机构。

# 3 鱼 类

## 3.1 种类和主要分布

黑龙江省鱼类共有2纲8目22科73属106种，鱼类区系组成比较复杂，呈现出南北交叉的特点。有典型的中国平原鱼类、北方冷水鱼类、南方暖水鱼类，也有起源于欧洲的鱼类。省内水域主要鱼类有鲟科的鳇鱼、鲟鱼；鲑科的大马哈鱼、哲罗鲑、细鳞鱼、乌苏里白鲑；鮰鱼科的黑龙江鮰鱼，狗鱼科的狗鱼；鲤科的鲤、瓦雅罗鱼、青鱼、草鱼、鳊、翘嘴鲌、蒙古鲌、尖头鲌、鳘、马口鱼、鲫、鲢；鲶科的鲶、怀头鲶；鲿科的黄颡鱼、乌苏里拟鲿；鮨科的鳜鱼；鳕科的江鳕；鳢科的乌鳢。其中以鲤科的鱼种最多。鱼类的地区分布不均衡，三江平原水域有22科97种，东部山地水域18科34种，大、小兴安岭水域18科85种，松嫩平原水域有10科46种。

在鱼类中的鲤、鲫、草鱼等定居型鱼类，栖息于静水和缓流中，分布较广，在生活的水域中定居，不少鱼类还可以在水域中自然繁殖生长。细鳞鱼、狗鱼等鱼类，在黑龙江、松花江、嫩江、乌苏里江等水系中洄游，可洄游到上游的湖泊、小溪、泛滥地中进行生殖育肥洄游，大马哈幼鱼还要进行降海洄游。

## 3.2 经济鱼类的利用情况

黑龙江省主要经济鱼类有鲤、鲫鱼、草鱼、鲢、鳙、鲶、大马哈鱼、鳜鱼、狗鱼、乌鳢、泥鳅、鳇鱼等20种左右。近几年淡水养鱼业发展很快，本次调查区水域总面积86.69万公顷，可利用近50万公顷，全省鱼类总产量可达55万吨，渔业总产值25亿元。

# 4 两栖类、爬行类、哺乳类

## 4.1 两栖类

### 4.1.1 两栖动物种类与分布

黑龙江省湿地自然分布的两栖动物共2目6科12种，分属有尾目和无尾目。在这12种湿地两栖动物中，有尾目有1科3种，占湿地两栖动物总种数的25%；无尾目种类5科9种，占湿地两栖动物种数总数的75%。在6个科中，蛙科的种类最多，有4种，占湿地两栖动物种类总数的33.3%，姬蛙科和雨蛙科各1种，蟾蜍科2种，盘舌蟾科1种。

有尾目主要分布于寒温带。东北小鲵、极北鲵、爪鲵主要分布于大、小兴安岭的丘陵低山地区的溪流中。

无尾目盘舌蟾科只有东方铃蟾1种，分布在河塘、沼泽地区。蟾蜍科中华蟾蜍和花背蟾蜍有2种，在全省广泛分布；雨蛙科只有东北雨蛙1种，在全省广泛分布；蛙科有黑龙江林蛙、中国林蛙、黑斑侧褶蛙、东北粗皮蛙4种。黑斑侧褶蛙、东北粗皮蛙在全省各地均有分布，黑龙江林蛙、中国林蛙分布在大小兴安岭林区及东部山地。

### 4.1.2 经济种类的利用情况

由于加强了自然栖息地的保护，黑龙江的两栖动物自然种群数量得到了一定的保护，尚能形成一定的规模利用。主要有以下几方面：

(1)生物防治：中华蟾蜍、花背蟾蜍、黑龙江林蛙、中国林蛙、黑斑侧褶蛙、东北粗皮蛙都是捕虫能手。为黑龙江省大面积的森林病虫害生物防治起到应有的作用。因此，养蛙治虫是生物防治的一个重要方面，成本低，无污染。

(2)经济价值：在黑龙江林区，人工养殖黑龙江林蛙、中国林蛙形成了一定规模，创造了一定的经济效益。

## 4.2　爬行类

### 4.2.1　爬行动物种类与分布

爬行类有2目2科5种。其中龟鳖目仅有鳖科鳖种1个物种；蛇目有1科4种，游蛇科4种分别为赤链蛇、红点锦蛇、东亚腹链蛇、虎斑颈槽蛇。

黑龙江省鳖主要分布在全省的江河湖泊湿地中；蛇类主要分布林区内。

### 4.2.2　经济种类的利用情况

湿地爬行动物大多数对人类是有益的，在维持湿地生态系统的稳定中有着重要意义。目前黑龙江省湿地爬行动物的利用主要在中华鳖的驯养繁殖上具有一定的规模，中华鳖很久以来就被誉为滋补佳品，营养丰富、肉味鲜美，其肌肉富含蛋白质、钙、铁和维生素等，因此一直是人工养殖的首选品种。

## 4.3　哺乳类

### 4.3.1　哺乳动物种类与分布

黑龙江省湿地自然分布的哺乳动物有2目5科11种。其中食肉目4科7种，其中猫科1种，犬科1种，熊科2种，鼬科3种。啮齿目1科4种。

哺乳动物因生活习性不同，所生活的地理区位也不同。其中，食肉目的貉分布在山区外围丘陵地带；啮齿目的黑线仓鼠、莫氏田鼠、东方田鼠、麝鼠在省内广泛分布。

### 4.3.2　经济种类的利用情况

(1)毛皮动物：哺乳动物中可以用作毛皮动物的有食肉目的水貂、水獭等，因为黑龙江的特殊的环境条件皮毛产品细绒厚，光泽好，经济价值较高。

(2)药用价值：黑熊、水獭等都具有重要的药用价值。

(3)科研价值：哺乳类因与人类亲缘关系最近，因而是理想的科研和临床实验材料，湿地哺乳类也不乏其种类。

# 第四章 湿地资源利用

## 第一节 湿地资源利用方式及其利用现状

### 1 湿地资源现状

#### 1.1 土地资源

黑龙江省湿地资源极为丰富，是我国沼泽湿地分布广泛的省区之一，有著名的三江平原、松嫩平原和大、小兴安岭森林沼泽。全省有河流湿地、湖泊湿地、沼泽湿地和人工湿地 4 个湿地类，包括永久性河流、季节性或间歇性河流、洪泛平原湿地、永久性淡水湖、永久性咸水湖、季节性淡水湖、季节性咸水湖、草本沼泽、灌丛沼泽、森林沼泽、季节性咸水沼泽、沼泽化草甸、库塘、水产养殖场、水渠 15 个湿地型。湿地总面积 514. 33 万公顷。其中，河流湿地面积 73. 35 万公顷，湖泊湿地面积 35. 60 万公顷，沼泽湿地面积 386. 43 万公顷，人工湿地面积 18. 95 万公顷。

湿地不仅提供了生物资源、水资源等，长期以来被作为一种重要的后备土地资源加以利用。黑龙江省自新中国成立以来，大量围垦湿地用于农业生产用地、水产养殖塘或建筑用地，特别是 20 世纪 50 ~80 年代有近 500 万公顷被用于农业用地、工业建设用地。湿地提供的土地资源为黑龙江的粮食生产乃至全国的粮食安全都做出了巨大的贡献。目前湿地的保有量仅为国土面积 11. 31%，为保证生态安全、国防安全、粮食安全，黑龙江省应进行科学评估湿地的合理保有量，科学制定湿地土地资源利用政策。

#### 1.2 水资源

黑龙江省有黑龙江、松花江、乌苏里江和绥芬河四大水系，有兴凯湖、镜泊湖、连环湖和五大连池 4 处较大湖泊及星罗棋布的泡沼。全省流域面积在 50 平方公里以上的河流有 1918 条，有大小湖泊 640 个，全省有蓄水工程 680 多处，引水工程 1241 处，提水工程 3430 处。

全省多年平均地表水资源量为 686 亿立方米，多年平均地下水资源量为 297. 44 亿立方米，全省多年平均水资源量为 810. 30 亿立方米，人均水量 2160 立方米，均低于全国平均水平。2009 年全省年平均降水深为523毫米，折合水量2378.57亿立方米，比上年多4.3%，比多年平均少2%，为平水年份。全省年平均径流深为132.4毫米，折合水量为602.24亿立方米，比上年少1.6%，比多年平均少12.2%。全省平原区地下水资源量为171.59亿立方米，山丘区地下水资源量为119.51亿立方米，山丘区与平原区重复计算量为11.85亿立方米，全省地下水资源量为279.25亿立方米。全省水资源总量为727.93亿立方米。全省总用水量为286.23亿立方米，其中地表水用水量171.82亿立方米，地下水用水量114.41亿立方米。

黑龙江省水资源目前存在的问题：一是开发利用程度低。与国民经济和社会发展的要求相比，水资源开发程度仍处于一个较低水平，对水资源的调蓄能力极其有限；二是水资源开发利用程度不平衡。地表水开发利用程度低，个别地区地下水超采。在人口密集、工业发达的哈尔滨、齐齐哈尔、佳木斯、大庆、鹤岗等大城市，由于地下水的集中开采，造成了部分地区浅层地下水水位持续下降，出现大面积降落漏斗，地下水遭到不同程度的污染。地表水和地下水的开发利用存在着极大的不平衡；三是水资源利用效率低。基础设施落后，管理水平低下，黑龙江省水资源的利用效率低，浪费现象十分严重；四是水资源污染严重。全省污水处理设施建设严重滞后，工业废水基本是自然排放，对河流的污染日益加重，水体使用功能下降，目前全省江河普遍遭到污染，且呈发展趋势；五是水资源管理水平有限。依法治水仍存在较大差距，水资源开发利用缺乏统一规划，管理体系不理顺，全社会的水忧患意识还没有形成，对浪费和污染水资源的现象缺乏自觉的抵制和监督。

提高水资源承载力的途径：一是建立稳定的投融资机制，提高供水能力，运用政策加快建设。二是大力开展节约用水，建设节水型社会，发挥经济杠杆的作用，促进节约用水。三是调整用水布局和结构，实现水资源的合理配置，大力开发地表水，合理开发地下水。四是加强水资源管理，提高水资源承载力，严格执法，加强执法监督，依法行政，加强水资源的统一管理，建立水资源统一管理体系。

## 1.3　生物资源

黑龙江省有高等植物2050余种，分属于193科747属。其中苔藓植物389种，隶属67科175属；维管束植物1661种，隶属126科572属。种类多、分布广的优势科主要有菊科、禾本科、莎草科、毛茛科等，其次蔷薇科、豆科、百合科、蓼科、唇形科、伞形科分布也较广泛。此次湿地资源调查黑龙江省有湿地高等植物688种，隶属93科292属，其中苔藓类植物12科13属28种；蕨类植物6科6属6种；裸子植物1科4属7种；被子植物74科267属647种。有经济价值的野生植物资源，可食用的在25万吨以上，野生条草造纸原料100多万吨，各种药材125万吨。

黑龙江省野生动物资源丰富，分布有许多珍稀动物，在动物地理区划中属古北界东北区，全省共有脊椎动物41目108科580种，占全国种数的9.34%，其中兽类87种，占全国种数的15.15%；鸟类361种，占全国种数的29.02%；爬行类16种，占全国种数的4.26%；两栖类12种，占全国种数的3.87%；鱼类106种，占全国种数的2.72%。国家Ⅰ级保护动物17种，国家Ⅱ级保护动物66种，省级保护动物79种。其中湿地脊椎动物鱼类106种，分别隶属于8目22科；两栖类12种，分别隶属于2目6科；爬行类5种，分别隶属于2目2科；鸟类196种，分别隶属于13目26科；哺乳类11种，分别隶属于2目5科。属于国家重点保护鸟类就有16种，属于《中日候鸟保护协定》名录的鸟类有80种，属于《中澳候鸟保护协定》名录的鸟类有36种。

### 1.4 景观资源

黑龙江省独特的湿地景观资源有：大界江河、大湖泊、大沼泽湿地、岛状林湿地及寒温带森林湿地、季节性的冰湖湿地、冰雪景观等湿地资源。

黑龙江省河流大多流经山地丘陵的森林草地地带，水土流失较轻，水质干净，含沙量较低，加之多变地形地貌，构成了塞北奇异的风光。分布在黑龙江、乌苏里江、松花江及其支流上，如黑龙江萝北承平沟龙江峡谷段、嘉荫的茅栏沟、东宁的瑚布图河等，大多是穿山谷入平原，江水在两山峡谷川流不息，两岸奇峰异石，峦翠林丰，兀峰峭立，礁岛险滩多处，可供漂流河段达30多处。在河段落差较大的地方产生蔚为壮观的瀑布，著名的有宁安镜泊湖吊水楼瀑布、海林梨树瀑布、乌伊岭开山河瀑布、嘉荫茅兰沟瀑布。有的瀑布两侧是高峻陡峭峭壁，水流奔涌，四季常泻不竭。

在黑龙江天然湖泊中，主要类型有牛轭湖、火山熔岩堰塞湖、人工湖。其中较大的有兴凯湖、镜泊湖、五大连池、连环湖、莲花湖等，均是黑龙江省旅游景观资源。

黑龙江省沼泽湿地景观：沼泽湿地常指地表常年湿润或有薄层积水，生长湿生和沼生植物的地域段落。黑龙江省沼泽湿地成因主要是由于湖泊、江、河边缘或浅水部分泥沙淤积变浅，使水草丛生逐渐演变而形成的水体沼泽；或由森林、高山草甸、冻土带地下水聚集逐渐形成的陆地沼泽两种。

黑龙江省是我国湿地资源最多、类型齐全、面积大、分布广的省份之一。有着著名的三江平原、松嫩平原湿地和大、小兴安岭森林沼泽湿地，广袤的湿地孕育了不同类型的湿地景观，如南瓮河湿地、扎龙湿地、珍宝岛等沼泽湿地，大兴安岭地区的岛状林湿地、寒温带森林湿地，季节性的冰湖湿地、冰雪景观等湿地资源。

### 1.5 湿地的其他资源

湿地地泥炭矿产资源，黑龙江泥炭分为水藓泥炭地和沼泽泥炭地2类。泥炭由原始的取暖燃料，发展到现在有着多种用途的矿产工业原料，主要用于制作活性炭、发电、医疗、园艺、改良土壤等。目前黑龙江省泥炭矿有近60余处，总储量达0.5亿吨(干重)，随着湿地的锐减泥炭将要成为稀缺资源。因此，保护泥炭资源应引起人们高度重视。

## 2 湿地资源现状分析评价

蓄水、调节河川径流。沼泽湿地就像一个巨大的生物蓄水库，能储存过量的大气降水和地表径流。正是由于这种储水能力，沼泽湿地有天然蓄水库之称，当遇到灾害性天气，可以调节河水径流量，削减洪峰，均化洪水，减少下游洪水量。此外，湿地植被可减缓洪水流速，滞留洪水到达下游时间，使洪水在湿地内的移动过程中蒸发、下渗和储存缓释。

补水、维持区域水平衡。沼泽湿地具有强大的补水功能，通过湿地源源不断地补水，维持区域水平衡。沼泽湿地的补水功能主要有2种：一种是补充地下水。湿地的地表水可作为地下水的补给源，当水从湿地渗入到地下蓄水系统时，地下蓄水层的水就得到了补充，为周围地区供水，维持或抬高地下水位。另外一种是向其他湿地供水，如为河流湿地供水、为湖泊湿地供水、为人工湿地供水等等。

沉降和排除河水中的沉积物。大气降水形成的地表径流往往夹带大量的泥沙，如果直接排泄到江、河、湖或库塘，会导致河道、湖盆变浅，容量减少，过量的沉积物还会影响江河、湖泊、库塘水质。沼泽湿地由于其独有的自然属性，在减缓地表径流的同时，也有利于沉积物的沉降，河水清澈。特别是河道两岸的森林沼泽，沉降和排除河水中的沉积物的功能更加显著。

湿地是野生动物重要的栖息地。大兴安岭东部林区湿地是西伯利亚和东北地区鸟类迁徙的中途站，湿地内迁徙和居留的鸟类有大天鹅、小天鹅、东方白鹳、苍鹰等约200种。黑龙江森工林区湿地是候鸟，特别是水禽春秋两季迁徙停歇地和觅食地，也是在黑龙江繁殖的鸟类的繁殖地。在湿地中生存的国家重点保护动物有东方白鹳、黑鹳、丹顶鹤、白头鹤、白枕鹤、中华秋沙鸭、鸳鸯和猛禽及水獭等几十种。森林沼泽是鸳鸯、中华秋沙鸭、白头鹤、东方白鹳繁殖地，草本沼泽是丹顶鹤、白枕鹤等水禽的繁殖地。

# 第二节 湿地资源可持续利用前景分析

## 1　存在问题

缺少统一和长远规划，建设性破坏依然存在。长期以来对湿地资源的持续、不合理的开发利用，忽视了湿地的保护和湿地生态系统综合功能的发挥。湿地资源利用没有统一规划，也缺少严格的开发审批制度。各部门往往从本部门的利益出发，片面追求当前经济利益，忽视了长远的生态和环境效益，造成湿地资源的浪费和破坏。

湿地资源利用方式单一，资源利用效率不高。黑龙江省松嫩平原芦苇等湿地资源较为丰富，但经营较为粗放，缺少精深加工，经济效益较低。由于缺少相关的法律法规，缺少有效的监管手段，笃斯越橘等资源遭到掠夺式采集。

湿地生态旅游处于起步阶段。虽然扎龙、兴凯湖、安邦河等地，已经成为区域性的生态旅游热点，但是湿地生态旅游总体上处于起步阶段，没有总体的发展规划，资金投入严重不足，旅游基础设施薄弱，管理水平不高，效益不高。

## 2　合理利用建议

建立湿地、水产、草原、农业、水利等部门协调机制，加强湿地资源利用管理。提高人们对湿地资源保护、合理利用的认识。加强统筹规划和监测，开展湿地资源合理利用科学研究，为合理利用湿地资源提供科学依据。制定湿地资源利用规划，开展湿地资源合理利用示范工程，带动周边社区居民经济发展。适度发展湿地生态旅游业，统一组织、制订和实施科学的旅游规划，扶持湿地生态旅游产业发展。发展具有当地特色的产业，开展芦苇深加工、特色养殖、野生浆果产业，建立药材基地。

# 第五章
# 湿地资源评价

## 第一节
## 湿地生态状况

### 1 湿地水文状况

黑龙江省河流集水面积为 45.48 万平方公里，其中黑龙江干流为 11.71 万平方公里，嫩江 10.30 万平方公里，松花江干流 16.73 万平方公里，乌苏里江 5.98 万平方公里，绥芬河 0.76 万平方公里。

全省境内河流纵横，湖泊众多，全省流域面积 50 平方公里以上河流 1918 条。其中 50～300 平方公里的有 1587 条，300～1000 平方公里的有 220 条，1000～10000 平方公里的有 93 条，10000 平方公里以上的有 18 条。

黑龙江省境内水系发达，河流纵横，分属黑龙江、松花江、乌苏里江、绥芬河四大水系。其中松花江(含嫩江)、乌苏里江两大河流汇入黑龙江，直接出境入海的有黑龙江和绥芬河两个独立水系。境内河流除 58 条属绥芬河流域外，其余均为黑龙江流域。

全省 18 条重要河流，松花江水系有嫩江干流、讷谟尔河、乌裕尔河、松花江干流、呼兰河、通肯河、拉林河、蚂蚁河、倭肯河、牡丹江、汤旺河 11 条；黑龙江水系有黑龙江干流、额木尔河、呼玛河、逊别拉河 4 条；乌苏里江水系有穆棱河、挠力河 2 条；绥芬河水系有绥芬河 1 条。

黑龙江省多年平均年径流量 602.24 亿立方米，全省多年平均年径流深 132.4 毫米，全省多年平均径流深地区分布不均，高低值变化幅度大。

### 2 湿地生态状况评价

湿地生态状况直接反映湿地生态系统健康水平。依据 2009 年湿地调查成果数据综合利用反映湿地生态状况的生物多样性、水环境、自然湿地面积、人口状况、受威胁状况等方面指标，对本次重点调查湿地进行湿地生态状况综合评价。各重点调查湿地综合评分见表 5-1。

**表 5-1　各重点调查湿地生态状况综合评分表**

| 重点调查湿地 | 综合评分 |
| --- | --- |
| 黑龙江小北湖省级自然保护区湿地区 | 1.38998 |
| 黑龙江兴凯湖国家级自然保护区湿地区 | 0.97526 |
| 黑龙江肇源沿江湿地自然保护区湿地区 | 1.12454 |
| 黑龙江太阳岛湿地公园湿地区 | 1.18646 |
| 黑龙江肇东沿江省级自然保护区湿地区 | 1.12670 |
| 黑龙江省虎口湿地省级自然保护区湿地区 | 1.37600 |
| 黑龙江白渔泡湿地公园湿地区 | 1.12382 |
| 黑龙江省黑鱼泡省级自然保护区湿地区 | 1.06766 |
| 黑龙江呼兰河口湿地省级自然保护区湿地区 | 1.24262 |
| 黑龙江珍宝岛湿地国家级自然保护区湿地区 | 1.30526 |
| 黑龙江大庆龙凤湿地自然保护区湿地区 | 1.35422 |
| 黑龙江美人湖自然保护区(拟建)湿地区 | 1.04966 |
| 黑龙江宝清七星河国家级自然保护区湿地区 | 1.21142 |
| 黑龙江三环泡省级自然保护区湿地区 | 1.26398 |
| 黑龙江西洼荒湿地省级自然保护区湿地区 | 1.36214 |
| 黑龙江集贤安邦河湿地自然保护区湿地区 | 1.24334 |
| 黑龙江桦川湿地省级自然保护区湿地区 | 1.24334 |
| 黑龙江明水湿地省级自然保护区湿地区 | 1.35998 |
| 黑龙江嘟噜河湿地自然保护区湿地区 | 1.24766 |
| 黑龙江水莲省级自然保护区湿地区 | 1.30598 |
| 黑龙江富锦沿江湿地自然保护区湿地区 | 1.18430 |
| 黑龙江乌裕尔河—双阳河省级自然保护区湿地区 | 1.17998 |
| 黑龙江扎龙国家级自然保护区湿地区 | 1.15094 |
| 黑龙江细鳞河自然保护区湿地区 | 1.35854 |
| 黑龙江哈拉海自然保护区湿地区 | 1.24262 |
| 黑龙江绥滨两江湿地省级自然保护区湿地区 | 1.25792 |
| 黑龙江乌裕尔河省级自然保护区湿地区 | 1.30094 |
| 黑龙江乌苏里江自然保护区湿地区 | 1.30526 |
| 黑龙江洪河国家级自然保护区湿地区 | 1.26902 |
| 黑龙江勤得利自然保护区湿地区 | 1.13696 |

（续）

| 重点调查湿地 | 综合评分 |
|---|---|
| 黑龙江三江国家级自然保护区湿地区 | 1.15094 |
| 黑龙江北安省级自然保护区湿地区 | 1.30310 |
| 黑龙江八岔岛国家级自然保护区湿地区 | 1.24334 |
| 黑龙江黑瞎子岛湿地省级自然保护区（拟建）湿地区 | 1.24334 |
| 黑龙江讷谟尔河湿地省级自然保护区湿地区 | 1.30166 |
| 黑龙江五大连池山口省级自然保护区湿地区 | 1.08326 |
| 黑龙江五大连池省级自然保护区湿地区 | 1.18718 |
| 黑龙江嘉荫平阳河湿地自然保护区湿地区 | 1.20176 |
| 黑龙江孙吴红旗湿地自然保护区湿地区 | 1.37672 |
| 黑龙江公别拉河省级自然保护区湿地区 | 1.30094 |
| 黑龙江挠力河国家级自然保护区湿地区 | 1.23934 |
| 黑龙江大佳河省级自然保护区湿地区 | 1.30310 |
| 黑龙江带岭碧水秋沙鸭自然保护区湿地区 | 1.13390 |
| 黑龙江努敏河湿地自然保护区湿地区 | 1.42118 |
| 黑龙江新青国家级湿地公园湿地区 | 1.30382 |
| 黑龙江南北河自然保护区湿地区 | 1.35710 |
| 黑龙江翠北湿地自然保护区湿地区 | 1.30166 |
| 黑龙江友好湿地自然保护区湿地区 | 1.41758 |
| 黑龙江新青白头鹤自然保护区湿地区 | 1.30166 |
| 黑龙江库尔滨河湿地自然保护区湿地区 | 1.35854 |
| 黑龙江大沾河湿地自然保护区湿地区 | 1.30022 |
| 汤旺河流域湿地 | 1.07804 |
| 黑龙江乌伊岭自然保护区湿地区 | 1.47734 |
| 黑龙江红星湿地自然保护区湿地区 | 1.30166 |
| 嫩江源头湿地区 | 1.07680 |
| 黑龙江省宝清东升自然保护区湿地区 | 1.01901 |
| 黑龙江佳木斯沿江湿地省级保护区湿地区 | 0.99896 |
| 黑龙江东方红湿地自然保护区湿地区 | 1.01815 |
| 黑龙江干流湿地区 | 1.03594 |
| 呼玛河湿地区 | 1.04510 |

根据综合得分结合利用自然断点法（natural breaks）对各处重点调查湿地进行划分，黑龙江省湿地生态状况综合评价如下：

（1）空间位置分布看，黑龙江省重要湿地资源主要集中分布在大兴安岭东部林区、松嫩平原、三江平原及森工国有林区四大区域。其中三江平原主要分布在乌苏里江流域、七星河—挠力河流域、松花江沿岸，松嫩平原主要分布在松嫩平原的西南部、嫩江沿岸及乌裕尔河下游地区，是鹤类等珍稀水禽重要的繁殖栖息地和迁徙停歇地；大兴安岭主要分布在黑龙江干流、嫩江源头和呼玛河流域，是东北平原乃至华北平原的重要生态屏障。湿地的空间分布情况可以看出黑龙江省不同区域的湿地保护水平，湿地主要分布的四大区域及四大水系也是黑龙江省湿地保护水平较高的区域。

（2）自然湿地率和湿地植被覆盖度较高。从第二次调查结果看，黑龙江省自然湿地率达到96.33%，从参与评价重点调查的湿地看，除了黑龙江大庆龙凤湿地自然保护区湿地区、黑龙江白渔泡湿地公园湿地区、黑龙江三环泡省级自然保护区湿地区、黑龙江乌裕尔河—双阳河省级自然保护区湿地区、黑龙江细鳞河自然保护区湿地区、黑龙江五大连池山口省级自然保护区湿地区自然湿地率较低，其他重要调查湿地的自然湿地率都达到90%以上。湿地植被覆盖率整体较高，此次调查没有发现外来入侵植物出现。

（3）水环境状况。湿地富营养状况很少出现，湿地污染物虽然都有一定的存在，但没有对湿地构成较大威胁，水质级别都较高。按此次评价指标体系看，水质情况整体较好。

（4）威胁状况。湿地整体受威胁情况较轻，威胁因子数量较少。黑龙江省湿地受到主要威胁因子级别都为人为活动。除少数达到中度威胁程度外，其余都只是轻度或轻微威胁。

（5）根据综合得分，90%以上重点调查湿地划分为好，只有黑龙江佳木斯沿江湿地省级保护区湿地区、黑龙江美人湖自然保护区（拟建）湿地等极少数湿地划分为中，在此次调查的重点湿地中没有评定为差的。

## 第二节
## 湿地受威胁状况

黑龙江省湿地资源丰富，是全国湿地资源分布面积最大的省份。湿地类型多样，主要以沼泽湿地为主。从全省湿地区域分布情况来看，三江平原现存天然湿地约91万公顷，主要分布在乌苏里江流域、七星河—挠力河流域、松花江沿岸，是黑龙江省湿地最肥沃、最典型的地区；松嫩平原现存湿地约223万公顷，主要分布在松嫩平原的西南部、嫩江沿岸及乌裕尔河下游地区，是鹤类等珍稀水禽重要的繁殖栖息地和迁徙停歇地；大兴安岭现存湿地约111万公顷，主要分布在黑龙江干流、嫩江源头和呼玛河流域，是东北平原乃至华北平原的重要生态屏障；小兴安岭及东部山区现存湿地约89万公顷，主要有山间河流、逊别拉河、五大连池、镜泊湖等湿地。

由于过去对湿地保护与研究工作起步较晚，新中国成立以后为了支援国家建设和粮食生产供应，黑龙江省对湿地开发强度较大，湿地过度开发引起当地生态环境质量下降，影响了区域经济的持续发展，气候发生变化，旱灾频发，地下水位下降较快。由于经济快速发展以及人类生产生活对湿地资源依赖程度的提高，直接导致了湿地及其生物多样性的破坏，湿地功能下降，抵御自然灾害的能力减弱。湿地因围垦及过度开发利用，造成湿地大面积减少，环境污染加剧，生物多样性遭到极大破坏，湿地生态系统受到严重威胁。随着全省人口的增长和社会经济的发展，经济建设与湿地生态保护的矛盾日益显现。

从1998年以来，黑龙江省在重要江河沿岸、源头持续开展湿地自然保护区建设，抓住国家实施野生动植物保护及自然保护区建设工程和湿地保护恢复建设工程的机遇，积极争取湿地保护建设项目资金，加强保护区基础设施建设，开展湿地保护恢复工作，经过多年的不懈努力，黑龙江省的湿地保护管理工作走在了全国的前列，有的湿地保护区和湿地恢复项目建设点创建为国家示范区。

尽管黑龙江省湿地保护工作取得了一定成绩，但仍有许多问题尚未解决，湿地保护工作依然严峻，湿地受到威胁依然存在，主要表现在以下几个方面：

一是湿地生态退化的趋势仍在继续。从黑龙江省第二次湿地调查的情况来看，黑龙江省湿地生态退化趋势没有得到根本遏制，很多湿地的效益和功能仍在下降：①部分湿地所面临的开垦与改造、污染、泥沙淤积和水资源不合理利用等状况依然严重。②湿地生物多样性衰退趋势明显，许多重要湿地部分或者全部丧失作为野生动植物繁殖栖息地的功能，给关键物种的生存与安全带来威胁。③由于湿地面积减少和功能下降，一些湿地丧失了淡水存蓄、调洪蓄洪的功能，加剧了水资源危机，并增加了洪水灾害风险。黑龙江省部分湿地虽然建立了长效补水机制，但还有一些重要湿地生态用水得不到满足，个别湿地缺水严重，保障重要湿地生态用水长效机制尚未建立。

二是湿地作为“未利用地”的劣势地位没有根本改变，湿地面积萎缩严重。一直以来，原生、自然湿地多被定义为“荒滩”“荒水”，在现行土地分类中被列入了“未利用地”，往往成为保障耕地、建设用地、林地等的牺牲品，直接导致湿地面积锐减。不合理的利用湿地严重破坏了湿地功能，使当地的生态环境继续恶化，这种现象依然存在。如三江平原，湿地面积从2000年的150多万公顷减少到目前的不足100万公顷，仍然面临着被开垦和围垦的巨大威胁；许多重要湿地由于上游水资源被转为它用，湿地面积严重萎缩甚至干涸。

三是湿地受到的主要威胁因子是人为活动。湿地受到人为活动威胁主要包括保护区内种植业、周边地区种植业、放牧捕捞、狩猎、捕鸟、毒鸟、捡鸟蛋、上游截流水源、灌溉引水、矿产开发、火灾、荒火、开垦湿地、气候变化、林场经营活动等。从第二次湿地调查看，湿地整体受威胁情况较轻，威胁因子数量较少。黑龙江省湿地受到主要威胁因子为人为活动。受威胁程度看只有极个别湿地达到中度威胁程度外，其余都只是受到轻度或轻微威胁。

四是干旱少雨自然因素导致湿地缺水威胁存在。黑龙江省部分地区干旱少雨，且日照充足，水分蒸发、植物蒸腾量大，造成一些湿地受到缺水少水，湿地水淹面积减少，近几年主要湿地进行补水使其缺水问题得到缓解或解决，希望建立科学持续的补水机制解决湿地生态用水问题。

## 第三节 湿地资源变化及其原因分析

本次湿地资源动态分析数据，是以1999年黑龙江省湿地资源调查成果与2009年黑龙江省湿地资源调查成果数据为基础。经认证两期调查成果技术标准一致，具有可比性。

通过对两次湿地资源调查期间湿地类型面积、湿地生物多样性和保护管理状况变化，进行科学分析，找出变化原因，对湿地经营管理效果做出综合评价，预测湿地资源发展变化趋势，为科学经营管理湿地资源提供依据。湿地资源动态变化分析，扣除两期调查标准技术不一致的部分，在可比范围内进行。

## 1　各湿地类型面积变化

前期调查的湿地总面积431.48万公顷，本期调查湿地总面积514.33万公顷，湿地资源面积增加82.85万公顷。扣除本期面状100公顷以下斑块面积26.29万公顷。本期动态可比面积为488.05万公顷。因此，可比范围内湿地面积比前期增加56.57万公顷。

### 1.1　湿地类面积变化

在湿地总面积增加56.57万公顷中。河流湿地前期面积46.06万公顷，本期面积69.17万公顷，较前期增加23.10万公顷；湖泊湿地前期面积40.19万公顷，本期面积32.94万公顷，较前期减少7.24万公顷；沼泽湿地前期面积332.03万公顷，本期面积370.14万公顷，较前期增加38.11万公顷；人工湿地前期面积13.20万公顷，本期面积15.79万公顷，较前期增加2.59万公顷。黑龙江省两次湿地资源调查湿地类面积比较如图5-1。

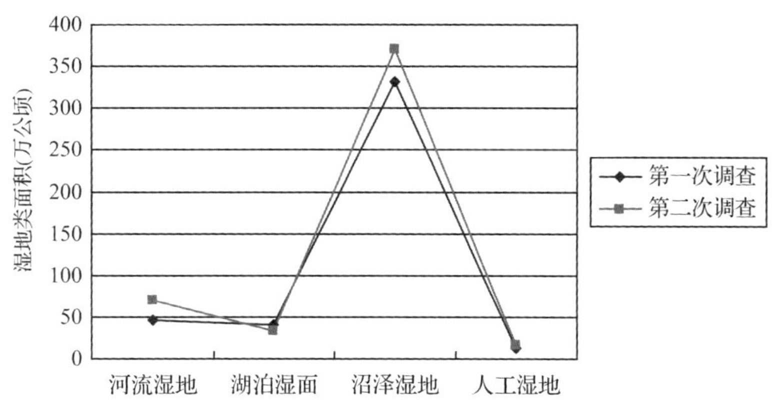


图5-1　黑龙江省两次湿地资源调查湿地类面积比较图

### 1.2　湿地型面积变化

河流湿地面积增加23.10万公顷。其中永久性河流面积增加5.77万公顷、季节性或间歇性河流增加0.52万公顷、洪泛平原湿地面积增加16.81万公顷。

湖泊湿地面积减少7.24万公顷。其中永久性淡水湖面积减少11.74万公顷、永久性咸水湖面积增加1.17万公顷、季节性淡水湖面积增加1.13万公顷、季节性咸水湖面积增加2.20万公顷。

沼泽湿地面积增加38.11万公顷。草本沼泽面积增加9.16万公顷、灌丛沼泽面积增加12.96万公顷、森林沼泽面积增加97.33万公顷、季节性咸水沼泽面积增加13.87万公顷、沼泽化草甸面积减少82.06万公顷。

人工湿地面积增加2.59万公顷。库塘面积增加0.28万公顷、运河输水河面积增加1.76万公顷、水产养殖场面积增加0.54万公顷。

## 1.3　各湿地类型面积变化原因

### 1.3.1　河流湿地面积增加

主要原因：本期调查斑块区划较前期精细，永久性河流在长度及宽度确定上较精确，使永久性河流湿地增加5.77万公顷；由于近年气候变化使小流域的永久性河流0.52万公顷变为地类；本期湿地调查是将河床以上拦洪坝以内的面积纳入调查，致使洪泛平原湿地面积增加16.81万公顷。

### 1.3.2　湖泊湿地面积减少

主要原因：由于气候干旱和大气降水减少，蒸发量大，水体内矿物质含量增加，在减少的11.74万公顷永久性淡水湖中，有1.17万公顷变为的永久性咸水湖泊湿地，有1.13万公顷变为季节性淡水湖；有2.20万公顷变为季节性咸水湖，其余7.24万公顷永久性淡水湖湿地变为地类。

### 1.3.3　沼泽湿地面积增加

沼泽湿地增加38.11万公顷。主要是森林沼泽湿地增加97.33万公顷，草本沼泽湿地增加9.16万公顷，灌丛沼泽湿地增加12.96万公顷，季节性咸水沼泽增加13.87万公顷所致。

沼泽化草甸湿地锐减了82.06万公顷，主要有大部分灌丛化和森林化，部分被开垦农地。

### 1.3.4　人工湿地面积增加

主要原因：发展水田种植开挖输水渠、水产养殖业建造水产养殖场，使人工湿地面积增加。

# 2　湿地生物多样性变化

## 2.1　湿地植物变化情况

第一次调查全省高等植物(苔藓、蕨类、种子植物)有2392种，隶属于202科，793属。依其经济用途可划分为17个大类，即药用植物740种，蜜源植物128种，食用植物700种，芳香植物40种，山野果45种，山野菜100种，油料50种，淀粉植物39种，染料及色素21种，纤维143种，土农药36种，鞣料57种，橡胶41种，树脂14种，木材61种，环保植物151种，野生花卉及观赏植物511种。湿地植物组成5个植被型组，5个植被型，68个群系。

第二次调查全省高等植物(苔藓、蕨类、种子植物)有2050种，隶属于193科，747属。依其经济用途可划分为17个大类，即药用植物574种，蜜源植物128种，食用植物600种，芳香植物40种，山野果45种，山野菜100种，油料50种，淀粉植物39种，染料及色素21种，纤维143种，土农药36种，鞣料57种，橡胶41种，树脂14种，木材61种，环保植物151种，野生花卉及观赏植物511种。湿地植物组成5个植被型组、10个植被型、41个群系。

在湿地植被方面，两次调查的湿地植被型组相同，第二次调查植被型数量上增加5个，植物群系减少27个。

## 2.2　湿地动物变化情况

第一次调查有脊椎动物558种，其中兽类有6目12科50种，鸟类分属19目55科共361种，两栖类动物有2目5科11种，爬行类动物3目3科16种，鱼类共有22科120种，浮游动物991种。

第二次调查有湿地野生动物(脊椎动物)6纲27目61科327种，其中鸟类13目26科196种，哺乳类2目5科11种，两栖类2目6科12种，爬行类2目2科5种，鱼类2纲8目22科106种。

前期调查有脊椎动物558种，本期调查有脊椎动物327种，减少了231种。

湿地脊椎动物中，哺乳类动物减少37种，鸟类减少165种，爬行类动物减少11种，鱼类减少了14种，两栖类动物增加了1种。

### 2.3 湿地动植物变化原因

(1)湿地植被变化。

湿地植被型组增加5个，湿地植被群系减少27个。对比两次湿地调查发现，造成两次调查植被型差异的是分类方法的不同导致，湿地植被的实际型组数量并未发生变化；植物群系减少27个。其原因是由于湿地的演替和破坏等因素，前期湿地面积虽然较后期少，但是湿地植被组成更丰富，湿地植被群系更多样，后期湿地植被群系相对更单一，因此，湿地植被群系数量，从湿地植被方面体现出生物多样性相对降低。

(2)湿地动物变化。

湿地植被类型单一，湿地群系的减少，影响湿地动物的生活环境，即湿地动物适宜栖息、觅食等生活环境变少，致使湿地动物种类减少。从调查看对鸟类影响尤其严重，鸟类减少数量最大，达到170种。

## 3 保护状况变化

### 3.1 湿地保护管理状况变化

(1)依法开展湿地资源保护工作。2003年6月20日黑龙江省第十届人民代表大会常务委员会第三次会议通过《黑龙江省湿地保护条例》，并于2003年8月1日正式施行。《条例》出台以后，各地加大了对破坏湿地案件的查处力度，湿地主管部门和保护区管理机构，组织开展专项执法检查，对各类破坏湿地的违法行为进行了严厉打击。

(2)加强管理机构建设。省委、省政府下发《关于加强湿地保护的决定》以后，各级政府抢救性建立湿地类型自然保护区，在国家级和大部分省级自然保护区建立专门管理机构近30个，配备管理人员1000余人，有力推动了全省湿地保护工作。

(3)推进湿地流域保护。黑龙江省依据《全国湿地保护工程规划》和《全国野生动植物保护及自然保护区建设工程规划》的要求，结合黑龙江省湿地资源分布特点，抢救性建立湿地自然保护区，在乌苏里江、嫩江、松花江等重要江河源头和沿岸湿地集中分布区划建自然保护区。

(4)开展湿地生态修复。黑龙江省是《全国湿地保护工程规划》重点实施区域，国家级和省级自然保护区在开展基础设施建设的同时，积极创造条件开展湿地恢复工作。在兴凯湖、安邦河、七星河、挠力河、三江、三环泡等自然保护区采取多种有效办法退耕还湿(退耕还林)0.45万公顷。

## 3.2 湿地保护变化原因

(1)国家和各级政府对湿地资源保护重视程度提高，财政资金投入和政策倾向加大，加强了湿地资源保护力度。

(2)健全了湿地保护管理法律、法规，加强了湿地保护宣传教育，提高了人们对湿地保护重要性的认识。

(3)调整了湿地资源统一管理机构，基本形成了依据湿地权属，实行统一部门管理。各级政府部门成立了以林业部门为主的专门保护管理机构，实现对湿地统筹管理、开发、科研的相关事宜，基本做到具体业务有专门机构管理，保护资金统筹规划，使湿地保护工作纳入正常轨道。

(4)保护区建设得到加强。原有的保护区建设投入得到提高，湿地保护能力得到提升，而且还抢救性地新建立了一批湿地保护区，使湿地保护面积扩大，减缓了以前无人保护状态下的湿地人为干扰情况，促进了湿地资源保护。

# 第六章 湿地保护与管理

## 第一节 湿地保护管理现状

### 1 依法开展湿地资源保护工作

黑龙江省委、省政府高度重视湿地资源保护工作，将湿地保护工作放在落实环境保护基本国策和实施可持续发展战略的突出位置。1998 年 12 月出台了《关于加强湿地保护的决定》，决定全面停止开垦湿地，抢救性地建立湿地自然保护区，要求实行湿地保护地方政府主要领导负责制，把湿地保护工作纳入当地政府重要议事日程。2000 年 1 月，省政府成立了湿地管理领导小组，由主管省长任组长，省直有关部门为成员单位，领导小组办公室设在省林业厅。为了加大湿地资源保护力度，省政府主要领导批示，要求制定湿地保护地方法规，并责成省法制办开展调研起草工作。经过多次组织修改和论证，2003 年 6 月 20 日黑龙江省第十届人民代表大会常务委员会第三次会议通过《黑龙江省湿地保护条例》(以下简称《条例》)，并于 2003 年 8 月 1 日正式施行。《条例》确定了保护湿地的概念和湿地认定制度，明确了林业行政主管部门是湿地行政主管部门，并授权国家级和省级湿地类型自然保护区管理机构行政处罚权。同时，在保护湿地完整性、保护湿地水资源、湿地污染防治、湿地资源利用等方面做了具体规定。《条例》出台以后，各地加大了对破坏湿地案件的查处力度，湿地主管部门和保护区管理机构，组织开展专项执法检查，对各类破坏湿地的违法行为进行了严厉打击。如三江、兴凯湖、挠力河、扎龙、三环泡等国家级和省级自然保护区查处了一大批破坏湿地案件，对违法开垦的湿地全部进行退耕还湿或退耕还林，通过案件的查处，既教育了广大群众，又震慑了违法分子，使黑龙江省破坏湿地行为得到了有效遏制，湿地面积和质量有了恢复性增长和提高。

### 2 加强管理机构建设

省委、省政府下发《关于加强湿地保护的决定》以后，各级政府抢救性建立湿地类型自然保护区，在国家级和大部分省级自然保护区建立专门管理机构近 30 个，配备管理人员 1000 余人，有力推动了全省湿地保护工作。黑龙江省按照《条例》的规定，理顺湿地类型自然保护区管理体制，将挠力河、八岔岛、七星河国家级自然保护区和安邦河、嘟噜河、肇东沿江等省级湿地类型自然保护区划归林业部门管理。双鸭山市和佳木斯市等湿地分布重点市，成立了湿地管理局。国家级和省级自然保护区积极编制保护区基础设施和湿地恢复可行性研究报告，制定湿地保护恢复规划，获得了国家专项资金投入。各级政府还积极投入自然保护区管护经费和基础设施建设配套资金，逐步解决基础设施落后和保护经费不足的问题。

## 3 推进湿地流域保护

黑龙江省依据《全国湿地保护工程规划》和《全国野生动植物保护及自然保护区建设工程规划》的要求，结合黑龙江省湿地资源分布特点，抢救性建立湿地自然保护区，在乌苏里江、嫩江、松花江等重要江河源头和沿岸湿地集中分布区划建自然保护区。在中俄界江乌苏里江沿岸，建立了兴凯湖、三江、珍宝岛、大佳河等 8 个国家级和省级湿地自然保护区，基本覆盖了乌苏里江沿岸湿地；在嫩江、松花江沿岸，建立了多布库尔、南瓮河、肇东沿江、汤原黑鱼泡、绥滨两江等 10 个自然保护区；在松嫩平原乌裕尔河流域，以扎龙自然保护区为中心，沿乌裕尔河建立了北安湿地、依安乌双、富裕乌裕尔河湿地自然保护区。在三江平原腹地七星河、挠力河流域建立了七星河、挠力河、三环泡和东升 4 个湿地自然保护区。三江平原湿地目前已经完成自然保护区规划建设任务，集中连片重要湿地全部划入保护区范围内，共建立国家级和省级湿地类型自然保护区 24 个。通过自然保护区建设，使黑龙江省主要江河沿岸和源头湿地得到了有效保护。黑龙江省已建的三江、兴凯湖等 11 个国家级自然保护区都进行了自然保护区基础设施建设一期和二期建设工程，保护区办公、管护、科研基础设施逐步得到完善，管护能力不断得到加强。

## 4 开展湿地生态修复

黑龙江省是《全国湿地保护工程规划》重点实施区域，国家级和省级自然保护区在开展基础设施建设的同时，积极创造条件开展湿地恢复工作。在兴凯湖、安邦河、七星河、挠力河、三江、三环泡等自然保护区采取多种有效办法退耕还湿(退耕还林)0. 45 万公顷，其中，兴凯湖国家级自然保护区在中俄边境松阿察河口附近将兴凯湖农场 0. 07 万公顷水田弃耕还湿，将东北泡子核心区 0. 04 万多公顷小开荒耕地退耕还林或还湿；三环泡省级自然保护区修建滚水坝提高湿地水位 60 厘米，增加明水面积 0. 70 万公顷，退耕还湿 0. 10 万公顷；三江自然保护区将 0. 03 万公顷违法开垦耕地退耕还林；安邦河自然保护区在低洼耕地修筑大网格堤坝，通过修建拦河闸、补水种植芦苇，恢复湿地 0. 12 万公顷；七星河自然保护区与农民签订退耕还湿合同，退耕还湿 0. 05 万公顷；挠力河自然保护区退耕还湿 0. 04 万公顷。扎龙国家级自然保护区从 2002 年开始，连续引嫩江水为湿地补水，累计补水量达 9 亿多立方米，使扎龙湿地得到较好的恢复。绥滨两江、东升湿地自然保护区禁止放牧，恢复湿地原始景观。大庆市政府通过净化生活污水为龙凤湿地补水，有效地缓解了水资源短缺的问题。洪河国家级自然保护区通过湿地保护工程项目修建滚水坝为湿地补水。通过开展湿地恢复工作，维护了湿地生物多样性，使湿地指示鸟类有了恢复性的增长，丹顶鹤数量由十年前的 500 多只增加到现在的 700 多只，洪河自然保护区东方白鹳数量由 2000 年的 20 只增加到现在的 80 多只。在安邦河、龙凤、三环泡自然保护区，人们可以随处看到成群的野鸭、白鹭等水禽，成为当地知名的旅游景点和生态建设窗口。扎龙、安邦河等自然保护区积极开展湿地生态旅游，获得了较好的经济效益。

### 5 加强国际重要湿地建设和管理

黑龙江省加大对扎龙、三江、兴凯湖和洪河4个国际重要湿地基础设施建设，加强自然保护区管理工作。积极组织实施自然保护区基础设施建设和湿地保护恢复项目，扎龙、三江、兴凯湖已完成自然保护区一期、二期工程，洪河自然保护区正在开展湿地恢复项目。通过工程建设，使4个国际重要湿地建设了办公楼、管护站、监测站等基础设施，并配备了必要的办公、科研、巡护和监测设备。4个国际重要湿地与大专院校和科研单位合作，建立了鸟类环志站、水文监测站、气象站、野生植物监测样地，开展湿地监测和科研工作。扎龙自然保护区与省气象局和大连理工大学合作，建立了全自动湿地气象监测站；在白鹤GEF项目的资助下，建立了水文自动监测系统；开展丹顶鹤人工繁育试验，建成了世界最大的丹顶鹤半散放种群。三江、洪河自然保护区被列为湿地GEF项目区，开展多项科研项目和培训活动，提高了国际重要湿地管护和监测水平。三江自然保护区为了加强监控能力，安装了远程无线视频监测系统，提高了保护管理的科技含量和工作效率。洪河自然保护区为了增加东方白鹳种群数量，在保护区内搭建人工巢近100个，成功招引200多对东方白鹳，累计繁育东方白鹳雏鸟600余只，被国际鹳、鹮、鹭专家组确认为中国东方白鹳人工招引野生种群最大的繁殖基地。兴凯湖自然保护区长期开展鸟类迁徙和栖息地繁殖调查工作和兴凯湖水质监测工作。

### 6 积极开展国际合作

由全球环境基金援助的“中国湿地生物多样性保护与可持续利用”项目(GEF湿地项目)，在三江、洪河自然保护区顺利实施。该项目通过购置专项设施、组织专业培训，聘请国内外专家进行专项研究，对三江平原湿地保护起到了重要的指导作用。亚洲开发银行在黑龙江省三江平原6个湿地保护区开展湿地保护项目。全球环境基金在松嫩平原开展白鹤GEF项目，为扎龙自然保护区科学管理做了大量基础性工作。兴凯湖自然保护区与俄罗斯汉喀斯基自然保护区开展多项活动，认真执行中俄两国政府签订的联合保护兴凯湖协定。三江自然保护区与俄罗斯哈巴罗夫斯克大赫黑契尔国家自然保护区、俄犹太自治州巴斯达克国家自然保护区签订了“共同联合保护乌苏里江、黑龙江流域自然环境合作协议”。大兴安岭地区邀请法国湿地专家，对大兴安岭地区湿地资源进行实地考察，解决大兴安岭地区湿地保护和被破坏湿地恢复上的技术问题，为大兴安岭地区湿地保护区和恢复起到推进作用。通过开展国际合作，学到了先进的技术和管理经验，有力推动了黑龙江省湿地保护工作健康有序开展。

## 第二节 湿地保护管理建议

加快自然保护区和湿地公园建设。黑龙江省黑河市、大庆市、绥化市等还分布有大面积的天然湿地，在“十二五”期间，要重点推进以上区域湿地自然保护区建设。在齐齐哈尔市、黑河市等市区内分布有大面积的天然湿地，适合在保护的基础上开展生态旅游，要尽快建立湿地公园。

建立湿地生态廊道，保障湿地生态用水。针对现有湿地岛屿化、破碎化严重的现象，要恢复和重建湿地生态廊道建设，采取有效措施保障湿地生态用水需求。

开展湿地资源合理利用，解决重要湿地区域内居民的替代生计。国家级和省级自然保护区内的苇草、渔业等资源是当地居民重要的经济来源，受保护法规的限制，保护区严格管理，影响当地居民经济收益，容易引发社区矛盾，不利于长期可持续发展。

建立湿地生态效益补偿机制。目前，湿地管护资金基本依靠地方财政，大多数保护区和湿地保护机构存在管护人员少、管护站点少、交通设备少、巡护不到位，不能满足实际管理需要。湿地保护对利益相关者造成的损失得不到补偿，湿地周边居民对保护湿地积极性不高，甚至出现抵触情绪，社区矛盾较大。因此，建议尽快实施湿地生态效益补助。

建立湿地资源监测体系。为遏制生态环境进一步恶化，保护与提高湿地生态功效，迫切需要开展好湿地生态环境监测工作，开展湿地科学研究，建立湿地资源监测体系。

制定区域保护规划。在开展湿地调查的基础上，依据区域湿地分布特征，制定区域性湿地保护管理规划，加强对湿地的管理，限制与合理地利用湿地资源，按照国家颁布的法律、法规，使湿地的保护与管理走上法制的轨道。

加强宣教工作力度。进一步开展有关湿地的生态作用、湿地效益以及保护湿地重要性的宣传教育，通过各种媒体进行宣传，并印发宣传刊物，以及在人们经常活动的重点场所设立宣传牌、板等教育方式，提高人们对湿地保护重要意义的认识，增强湿地保护的自觉性。

因地制宜发展湿地生态产业。根据土壤的适宜性确定最佳的利用方向，开展林区林蛙生态养殖，冷水鱼养殖等对水质与环境没有污染的养殖业，实现既能充分发挥湿地的生态环境功能，又能保护生物多样性、维持较高生产力水平的可持续发展目标。

# 附录1　黑龙江湿地调查区域植物名录

| 序号 | 科 | 属 | 种 | |
|---|---|---|---|---|
| | | | 中文名 | 拉丁名 |
| 一、苔藓植物 | | | | |
| 1 | 泥炭藓科 | 泥炭藓属 | 尖叶泥炭藓 | *Sphagnum acutifolium* |
| 2 | | | 截叶泥炭藓 | *S. angstremii* |
| 3 | | | 喙叶泥炭藓 | *S. apiculatum* |
| 4 | | | 扭枝泥炭藓 | *S. contoricum* |
| 5 | | | 锈色泥炭藓 | *S. fuscum* |
| 6 | | | 白齿泥炭藓 | *S. gigensohnii* |
| 7 | | | 毛壁泥炭藓 | *S. imbricatum* |
| 8 | | | 垂枝泥炭藓 | *S. jensenii* |
| 9 | | | 中位泥炭藓 | *S. magellanicum* |
| 10 | | | 稀孔泥炭藓 | *S. oligoporum* |
| 11 | | | 阔叶泥炭藓 | *S. palatyphyllum* |
| 12 | | | 泥炭藓 | *S. palustre* |
| 13 | | | 广舌泥炭藓 | *S. russowii* |
| 14 | | | 粗叶泥炭藓 | *S. squarrosum* |
| 15 | 牛毛藓科 | 角齿藓属 | 角齿藓 | *Ceratodon purpureus* |
| 16 | 真藓科 | 真藓属 | 垂蒴真藓 | *Bryum uliginosum* |
| 17 | 提灯藓科 | 提灯藓属 | 圆叶提灯藓 | *Muium vesicatum* |
| 18 | 皱蒴藓科 | 皱蒴藓属 | 沼泽皱蒴藓 | *Aulacomnium palustre* |
| 19 | 寒藓科 | 沼寒藓属 | 沼寒藓 | *Paludella squarrosa* |
| 20 | 羽藓科 | 沼羽藓属 | 沼羽藓 | *Helodium blandowii* |
| 21 | 柳叶藓科 | 湿源藓属 | 湿源藓 | *Calliergon cordifolium* |
| 22 | | 细湿藓属 | 稀齿细湿藓 | *Campylium sommerfeltii* |
| 23 | 青藓科 | 毛青藓属 | 毛青藓 | *Tomentohypnum nitens* |
| 24 | 绢藓科 | 赤茎藓属 | 赤茎藓 | *Pleurozium schreberi* |
| 25 | 灰藓科 | 扁灰藓属 | 扁灰藓 | *Breidleria pratensis* |

（续）

| 序号 | 科 | 属 | 种 | |
|---|---|---|---|---|
| | | | 中文名 | 拉丁名 |
| 26 | 金发藓科 | 金发藓属 | 大金发藓 | *Polytrichum commune* |
| 27 | | | 桧叶金发藓 | *P. juniperium* |
| 28 | | | 直叶金发藓 | *P. strictum* |
| 二、维管束植物 | | | | |
| （一）蕨类植物 | | | | |
| 1 | 木贼科 | 问荆属 | 水问荆 | *Equisetum fluviatile* |
| 2 | 金星蕨科 | 金星蕨属 | 金星蕨 | *Thelypteris palustris* |
| 3 | 紫萁蕨科 | 紫萁蕨属 | 分株紫萁 | *Osmunda cinnamea* var. *asiatica* |
| 4 | 碗蕨科 | 碗蕨属 | 溪洞碗蕨 | *Dennstaedtia wilfordii* |
| 5 | 苹科 | 苹属 | 苹 | *Marsilea quadrifolia* |
| 6 | 槐叶苹科 | 槐叶苹属 | 槐叶苹 | *Salvinia natans* |
| （二）裸子植物 | | | | |
| 1 | 松科 | 冷杉属 | 臭冷杉 | *Abies nephrolepis* |
| 2 | | 落叶松属 | 兴安落叶松 | *Larix gmelinii* |
| 3 | | | 长白落叶松 | *L. olgensis* |
| 4 | | 松属 | 樟子松 | *Pinus sylvestris* var. *mongolica* |
| 5 | | | 红松 | *Pinus koraiensis* |
| 6 | | 云杉属 | 红皮云杉 | *Picea koraiensis* |
| 7 | | | 鱼鳞云杉 | *P. jezoensis* |
| （三）被子植物 | | | | |
| 1 | 胡桃科 | 胡桃属 | 胡桃楸 | *Juglans mandshurica* |
| 2 | 杨柳科 | 钻天柳属 | 钻天柳 | *Chosenia arbutifolia* |
| 3 | | 杨属 | 山杨 | *Populus davidiana* |
| 4 | | | 香杨 | *P. koreana* |
| 5 | | | 甜杨 | *P. suaveolens* |
| 6 | | | 大青杨 | *P. ussuriensis* |
| 7 | | 柳属 | 呼玛柳 | *Salix humaensis* |
| 8 | | | 兴安柳 | *S. hsinganica* |

（续）

| 序号 | 科 | 属 | 种 | |
|---|---|---|---|---|
| | | | 中文名 | 拉丁名 |
| 9 | 杨柳科 | 柳属 | 朝鲜柳 | *S. oreensis* |
| 10 | | | 卷边柳 | *S. siuzevii* |
| 11 | | | 蒿柳 | *S. vimihalis* |
| 12 | | | 龙江柳 | *S. sahalinensis* |
| 13 | | | 细叶沼柳 | *S. rosmarinifolia* |
| 14 | | | 细柱柳 | *S. gracilistyla* |
| 15 | | | 松江柳 | *S. sungkianica* |
| 16 | | | 细枝柳 | *S. gracilior* |
| 17 | | | 杞柳 | *S. integra* |
| 18 | | | 越橘柳 | *S. myrtilloides* |
| 19 | | | 鹿蹄柳 | *S. pyrolaefolia* |
| 20 | | | 粉枝柳 | *S. rorida* |
| 21 | 桦木科 | 赤杨属 | 毛赤杨 | *Alnus sibirica* |
| 22 | | | 矮赤杨 | *Alnus frnticosa* |
| 23 | | | 东北赤杨 | *A. mandshurica* |
| 24 | | 桦木属 | 柴桦 | *Betula fruticosa* |
| 25 | | | 甸生桦 | *B. humilis* |
| 26 | | | 白桦 | *B. platyphylla* |
| 27 | | | 卵叶桦 | *B. ermanii* |
| 28 | | | 扇叶桦 | *B. iddendorffii* |
| 29 | 桑科 | 葎草属 | 葎草 | *Humulus scandens* |
| 30 | 荨麻科 | 艾麻属 | 珠芽艾麻 | *Laportea bulbifera* |
| 31 | | 冷水花属 | 矮冷水花 | *Pilea peploides* |
| 32 | | | 透茎冷水花 | *P. mongolica* |
| 33 | | 荨麻属 | 宽叶荨麻 | *Urtica laetevirens* |
| 34 | | | 狭叶荨麻 | *U. angustifolia* |
| 35 | 檀香科 | 百蕊草属 | 百蕊草 | *Thesium chinense* |
| 36 | | | 长叶百蕊草 | *Th. longifolium* |
| 37 | | | 急折百蕊草 | *Th. refractum* |
| 38 | 蓼科 | 蔓蓼属 | 卷茎蓼 | *Fallopia convolvulus* |
| 39 | | | 篱蓼 | *F. dumetosum* |

（续）

| 序号 | 科 | 属 | 种 | |
|---|---|---|---|---|
| | | | 中文名 | 拉丁名 |
| 40 | 蓼科 | 蔓蓼属 | 疏花草 | *F. pauciflorum* |
| 41 | | 蓼属 | 狐尾蓼 | *Polygonum aviculare* |
| 42 | | | 兴安蓼 | *P. alpinum* |
| 43 | | | 两栖蓼 | *P. amphibium* |
| 44 | | | 萹蓄蓼 | *P. aviculare* |
| 45 | | | 本氏蓼 | *P. bungeanum* |
| 46 | | | 稀花蓼 | *P. dissitiflorum* |
| 47 | | | 分叉蓼 | *P. divaricatum* |
| 48 | | | 多叶蓼 | *P. foliosum* |
| 49 | | | 水蓼 | *P. hydropiper* |
| 50 | | | 朝鲜蓼 | *P. koreense* |
| 51 | | | 酸模叶蓼 | *P. lapathifolium* |
| 52 | | | 马氏蓼 | *P. maackianum* |
| 53 | | | 耳叶蓼 | *P. manshuriense* |
| 54 | | | 东方蓼 | *P. orientale* |
| 55 | | | 太平洋蓼 | *P. pacificum* |
| 56 | | | 穿叶蓼 | *P. perfoliatum* |
| 57 | | | 紧穗蓼 | *P. rigidum* |
| 58 | | | 两色蓼 | *P. roseovide* |
| 59 | | | 西伯利亚蓼 | *P. sibiricum* |
| 60 | | | 箭叶蓼 | *P. sieboldi* |
| 61 | | | 水湿蓼 | *P. strigosum* |
| 62 | | | 松江蓼 | *P. sungareense* |
| 63 | | | 戟叶蓼 | *P. thunbergii* |
| 64 | | | 乌苏里蓼 | *P. ussuriense* |
| 65 | | 酸模属 | 酸模 | *Rumex acetosa* |
| 66 | | | 水生酸模 | *R. aquaticus* |
| 67 | | | 黑水酸模 | *R. amurensis* |
| 68 | | | 皱叶酸模 | *R. crispus* |
| 69 | | | 密穗酸模 | *R. confertus* |
| 70 | | | 毛脉酸模 | *R. gmelini* |

（续）

| 序号 | 科 | 属 | 种 | |
|---|---|---|---|---|
| | | | 中文名 | 拉丁名 |
| 71 | 蓼科 | 酸模属 | 长刺酸模 | *R. maritimus* |
| 72 | | | 洋铁酸模 | *R. patientia* var. *callosus* |
| 73 | | | 乌苏里酸模 | *R. stenophyllus* var. *ussuriensis* |
| 74 | 石竹科 | 大爪草属 | 大爪草 | *Spergula arvensis* |
| 75 | | 拟漆姑属 | 拟漆姑 | *Spergularia marina* |
| 76 | | 鹅不食属 | 毛轴鹅不食 | *Arenaria juncea* |
| 77 | | 卷耳属 | 卷耳 | *Cerastium holosteoides* |
| 78 | | | 毛蕊卷耳 | *C. pauciflorum* var. *amurense* |
| 79 | | 米努草属 | 石米努草 | *Minuartia laricina* |
| 80 | | 莫石竹属 | 莫石竹 | *Moehringia lateriflora* |
| 81 | | 漆姑草属 | 漆姑草 | *Sagina japonica* |
| 82 | | 繁缕属 | 叶苞繁缕 | *Stellaria crassifolia* |
| 83 | | | 细叶繁缕 | *S. discolor* |
| 84 | | | 翻白繁缕 | *S. filicaulis* |
| 85 | | | 禾繁缕 | *S. graminea* |
| 86 | | | 东北繁缕 | *S. hsinganensis* |
| 87 | | | 伞繁缕 | *S. longifolia* |
| 88 | | | 赛繁缕 | *S. neglecta* |
| 89 | | | 沼繁缕 | *S. palustris* |
| 90 | | 石竹属 | 石竹 | *Dianthus chinensis* |
| 91 | | | 簇茎石竹 | *D. repens* |
| 92 | | 剪秋萝属 | 浅裂剪秋萝 | *Lychnis cognata* |
| 93 | | | 大花剪秋萝 | *L. fulgen* |
| 94 | | 女娄菜属 | 光萼女娄菜 | *Melandrium firmum* |
| 95 | | 麦瓶草属 | 长柱麦瓶草 | *Silene macrostyla* |
| 96 | | | 狗筋麦瓶草 | *S. vulgaris* |
| 97 | 藜科 | 雾冰藜属 | 雾冰藜 | *Bassia dasyphylla* |
| 98 | | 藜属 | 尖头叶藜 | *Chenopodium acuminatum* |
| 99 | | | 藜 | *Ch. album* |
| 100 | | | 灰绿藜 | *Ch. glaucum* |
| 101 | | | 大叶藜 | *Ch. hybridum* |

（续）

| 序号 | 科 | 属 | 种 | |
|---|---|---|---|---|
| | | | 中文名 | 拉丁名 |
| 102 | 藜科 | 藜属 | 细叶藜 | *Ch. stenophyllum* |
| 103 | | 猪毛菜属 | 猪毛菜 | *Salicornia contoricum* |
| 104 | | | 无翅猪毛菜 | *S. komarovii* |
| 105 | | 碱蓬属 | 碱蓬 | *Suaeda glauca* |
| 106 | 毛茛科 | 乌头属 | 北乌头 | *Aconitum kusnezoffii* |
| 107 | | | 细叶乌头 | *A. macrorhynchum* |
| 108 | | | 蔓乌头 | *A. volubile* |
| 109 | | 银莲花属 | 大花银莲花 | *Anemone silvestris* |
| 110 | | 驴蹄草属 | 薄叶驴蹄草 | *Caltha membranacea* |
| 111 | | | 白花驴蹄草 | *C. natans* |
| 112 | | | 驴蹄草 | *C. palustris* |
| 113 | | 升麻属 | 兴安升麻 | *Cimicifuga dahurica* |
| 114 | | | 单穗升麻 | *C. simplex* |
| 115 | | 铁线莲属 | 棉团铁线莲 | *Clematis hexapatala* |
| 116 | | 翠雀属 | 翠雀 | *Dlphinium grandiflorum* |
| 117 | | 毛茛属 | 披针毛茛 | *Ranunculus amurensis* |
| 118 | | | 回回蒜毛茛 | *R. chinensis* |
| 119 | | | 圆叶碱毛茛 | *R. cymbalaria* |
| 120 | | | 水毛茛 | *R. bungei* |
| 121 | | | 小水毛茛 | *R. eradicatus* |
| 122 | | | 深山毛茛 | *R. franchetii* |
| 123 | | | 小叶毛茛 | *R. gmelinii* |
| 124 | | | 东北大叶毛茛 | *R. grandis* |
| 125 | | | 兴安毛茛 | *R. hsinganensis* |
| 126 | | | 毛茛 | *R. japonicus* |
| 127 | | | 长叶水毛茛 | *R. kauffmannii* |
| 128 | | | 长茎毛茛 | *R. longicaulis* |
| 129 | | | 单叶毛茛 | *R. monophyllus* |
| 130 | | | 浮毛茛 | *R. natans* |
| 131 | | | 沼地毛茛 | *R. radicans* |
| 132 | | | 匍枝毛茛 | *R. repens* |

（续）

| 序号 | 科 | 属 | 种 | |
|---|---|---|---|---|
| | | | 中文名 | 拉丁名 |
| 133 | 毛茛科 | 毛茛属 | 松叶毛茛 | *R. reptans* |
| 134 | | | 掌裂毛茛 | *R. rigescens* |
| 135 | | | 长叶碱毛茛 | *R. ruthenicus* |
| 136 | | | 长咀毛茛 | *R. tachilroei* |
| 137 | | | 毛柄水毛茛 | *R. trichophylus* |
| 138 | | | 石龙芮毛茛 | *R. Sceleratus* |
| 139 | | 唐松草属 | 球果唐松草 | *Thalictrum baicalense* |
| 140 | | | 箭头唐松草 | *Th. simplex* |
| 141 | | | 散花唐松草 | *Th. sparsiflorum* |
| 142 | | 金莲花属 | 宽瓣金莲花 | *Trollius asiaticus* |
| 143 | | | 金莲花 | *T. chinensis* |
| 144 | | | 短瓣金莲花 | *T. ledebouri* |
| 145 | 睡莲科 | 芡属 | 芡 | *Euryale ferox* |
| 146 | | 莲属 | 莲 | *Nelumbo nucifera* |
| 147 | | 睡莲属 | 睡莲 | *Nymphaea tetragona* |
| 148 | | 萍蓬草属 | 萍蓬草 | *Nuphar pumilum* |
| 149 | 金鱼藻科 | 金鱼藻属 | 金鱼藻 | *Ceratophyllum demersum* |
| 150 | | | 东北金鱼藻 | *C. mandshuricum* |
| 151 | | | 五针金鱼藻 | *C. oryzetorum* |
| 152 | 金丝桃科 | 金丝桃属 | 乌腺金丝桃 | *Hepericum attenuatum* |
| 153 | | | 长柱金丝桃 | *H. ascyron* |
| 154 | | | 短柱金丝桃 | *H. gebleri* |
| 155 | | 地耳草属 | 地耳草 | *Triadenum japonicum* |
| 156 | 茅膏菜科 | 貉藻属 | 貉藻 | *Aldrovanda vesiculosa* |
| 157 | 罂粟科 | 白屈菜属 | 白屈菜 | *Chelidonium majus* |
| 158 | | 紫堇属 | 黄紫堇 | *Corydalis ochotensis* |
| 159 | | | 球果紫堇 | *C. pallida* |
| 160 | | | 全叶延胡索 | *C. repens* |
| 161 | | | 齿瓣延胡索 | *C. turtschaninovii* |
| 162 | | 罂粟属 | 野罂粟 | *Papaver nudicaule* |
| 163 | 十字花科 | 南芥属 | 毛南芥 | *Aradis hirsuta* |

（续）

| 序号 | 科 | 属 | 种 | |
|---|---|---|---|---|
| | | | 中文名 | 拉丁名 |
| 164 | 十字花科 | 南芥属 | 垂果南芥 | *A. pendula* |
| 165 | | 山芥属 | 山芥菜 | *Barbarea orthoceras* |
| 166 | | 匙芥属 | 匙芥 | *Bunias cochlearioides* |
| 167 | | 亚麻荠属 | 亚麻荠 | *Camelina sativa* |
| 168 | | 碎米荠属 | 翼柄碎米荠 | *Cardamine komarovii* |
| 169 | | | 白花碎米荠 | *C. leucantha* |
| 170 | | | 水田碎米荠 | *C. lyrata* |
| 171 | | | 小花碎米荠 | *C. parviflora* |
| 172 | | | 草甸碎米荠 | *C. pratensis* |
| 173 | | 蔊菜属 | 山芥叶蔊菜 | *Rorippa barbarefolia* |
| 174 | | | 球果蔊菜 | *R. globosa* |
| 175 | | | 风花菜 | *R. islandica* |
| 176 | | 菥蓂属 | 遏蓝菜 | *Thlaspi arvense* |
| 177 | 景天科 | 八宝属 | 白八宝 | *Hylotelephium pallescens* |
| 178 | | | 紫八宝 | *H. purpureum* |
| 179 | | 景天属 | 费菜 | *Sedum aizoon* |
| 180 | | 东爪草属 | 东爪草 | *Tillaea aquatica* |
| 181 | 虎儿草科 | 金腰属 | 互叶金腰 | *Chrysosplenium alternifum* |
| 182 | | | 蔓金腰 | *Ch. flagelliferum* |
| 183 | | | 异叶金腰 | *Ch. pseudofauriei* |
| 184 | | 梅花草属 | 梅花草 | *Parnassia palustris* |
| 185 | | 扯根菜属 | 扯根菜 | *Penthorum chinense* |
| 186 | | 茶藨属 | 水葡萄茶藨 | *Ribes procumbens* |
| 187 | 蔷薇科 | 珍珠梅属 | 珍珠梅 | *Sorbaria sorbifolia* |
| 188 | | 绣线菊属 | 绣线菊 | *Spiraea salicifolia* |
| 189 | | 龙牙草属 | 龙牙草 | *Agrimonia pilosa* |
| 190 | | 沼委陵菜属 | 东北沼委陵菜 | *Comarum palustre* |
| 191 | | 蚊子草属 | 细叶蚊子草 | *Filipendula angustiloba* |
| 192 | | | 翻白蚊子草 | *F. intenedia* |
| 193 | | | 蚊子草 | *F. palmata* |
| 194 | | 水杨梅属 | 水杨梅 | *Geum aleppicum* |

（续）

| 序号 | 科 | 属 | 种 | |
|---|---|---|---|---|
| | | | 中文名 | 拉丁名 |
| 195 | 蔷薇科 | 委陵菜属 | 东北委陵菜 | *Potentilla amurensis* |
| 196 | | | 鹅绒委陵菜 | *P. anserina* |
| 197 | | | 光叉叶委陵菜 | *P. bifurca* var. *glabrata* |
| 198 | | | 蛇莓委陵菜 | *P. centigrana* |
| 199 | | | 大头委陵菜 | *P. conferta* |
| 200 | | | 狼牙委陵菜 | *P. cryptotaeniae* |
| 201 | | | 翻白委陵菜 | *P. discolor* |
| 202 | | | 莓叶委陵菜 | *P. fragarioides* |
| 203 | | | 蔓委陵菜 | *P. fragellaris* |
| 204 | | | 三叶委陵菜 | *P. freyniana* |
| 205 | | | 伏委陵菜 | *P. paradoxa* |
| 206 | | 蔷薇属 | 山刺玫 | *Rosa davurica* |
| 207 | | 地榆属 | 腺地榆 | *Sanguisorba glandulosa* |
| 208 | | | 直穗粉花地榆 | *S. grandiflora* |
| 209 | | | 地榆 | *S. officinalis* |
| 210 | | | 小白花地榆 | *S. parviflora* |
| 211 | | | 大白花地榆 | *S. stipulata* |
| 212 | | | 垂穗粉花地榆 | *S. tenuifolia* |
| 213 | | 山楂属 | 毛山楂 | *Crataegus maximowiczii* |
| 214 | | | 光叶山楂 | *C. dahurica* |
| 215 | | 李属 | 斑叶稠李 | *Padus maackii* |
| 216 | | | 稠李 | *P. racemosa* |
| 217 | 豆科 | 黄耆属 | 华黄耆 | *Astragalus chinensis* |
| 218 | | | 兴安黄耆 | *A. dahuricus* |
| 219 | | | 湿地黄耆 | *A. uliginosus* |
| 220 | | 大豆属 | 野大豆 | *Glycine soja* |
| 221 | | 甘草属 | 刺果甘草 | *Glycyrrhiza pallidifsora* |
| 222 | | 岩黄耆属 | 山岩黄耆 | *Hedysarum alpinum* |
| 223 | | 山黧豆属 | 矮山黧豆 | *Lathyrus humilis* |
| 224 | | | 三脉山黧豆 | *L. komarovii* |
| 225 | | | 山黧豆 | *L. palustris* var. *pilosus* |

（续）

| 序号 | 科 | 属 | 种 | |
|---|---|---|---|---|
| | | | 中文名 | 拉丁名 |
| 226 | 豆科 | 草木犀属 | 细齿草木犀 | *Melilotus dentatus* |
| 227 | | 野决明属 | 牧马豆 | *Thermopsis lanceolata* |
| 228 | | 车轴草属 | 野火球 | *Trifolium lupinaster* |
| 229 | | | 红车轴草 | *T. pratense* |
| 230 | | | 白花车轴草 | *T. repens* |
| 231 | | 野豌豆属 | 山野豌豆 | *Vicia amoena* |
| 232 | | | 黑龙江野豌豆 | *V. amurensis* |
| 233 | | | 东方野豌豆 | *V. japonica* |
| 234 | | 老鹳草属 | 毛蕊老鹳草 | *Geranum eriostemon* |
| 235 | | | 鼠掌老鹳草 | *G. sibiricum* |
| 236 | | | 线裂老鹳草 | *G. soboliferum* |
| 237 | 牻牛儿苗科 | 大戟属 | 猫眼大戟 | *Euphorbia lunulata* |
| 238 | 芸香科 | 白藓属 | 白藓 | *Dictamnus dasyarpus* |
| 239 | | 黄檗属 | 黄檗 | *Phellodendron amurense* |
| 240 | 凤仙花科 | 凤仙花属 | 东北凤仙花 | *Impatiens furcillata* |
| 241 | | | 水金凤 | *I. Noli-tangere* |
| 242 | 鼠李科 | 鼠李属 | 鼠李 | *Rhamnus davurica* |
| 243 | 堇菜科 | 堇菜属 | 鸡腿堇菜 | *Viola acuminata* |
| 244 | | | 额穆尔堇菜 | *V. amurica* |
| 245 | | | 白花堇菜 | *V. patrinii* |
| 246 | | | 立堇菜 | *V. raddeana* |
| 247 | | | 紫花地丁 | *V. yedoensis* |
| 248 | 沟繁缕科 | 沟繁缕属 | 马蹄沟繁缕 | *Elatine hydropiper* |
| 249 | 葫芦科 | 盒子草属 | 盒子草 | *Actinostemma tenerum* |
| 250 | 千屈菜科 | 千屈菜属 | 千屈菜 | *Lythrum salicaria* |
| 251 | 菱科 | 菱属 | 黑水菱 | *Trapa amurensis* |
| 252 | | | 弓角菱 | *T. arcuta* |
| 253 | | | 冠菱 | *T. litwinowii* |
| 254 | | | 丘角菱 | *T. japonica* |
| 255 | | | 东北菱 | *T. mandshurica* |
| 256 | | | 细果野菱 | *T. maximowiczii* |

（续）

| 序号 | 科 | 属 | 种 | |
|---|---|---|---|---|
| | | | 中文名 | 拉丁名 |
| 257 | 菱科 | 菱属 | 耳菱 | *T. potaninii* |
| 258 | | | 格菱 | *T. pseudoincisa* |
| 259 | 柳叶菜科 | 柳兰属 | 柳兰 | *Chamaenerion angustitolium* |
| 260 | | 露珠草属 | 露珠草 | *Circaea cordata* |
| 261 | | | 水珠草 | *C. quadrisulcata* |
| 262 | | 柳叶菜属 | 东北柳叶菜 | *Epilobium cylindrostigma* |
| 263 | | | 多枝柳叶菜 | *E. fastigiato-ramosum* |
| 264 | | | 水湿柳叶菜 | *E. palustre* |
| 265 | | 丁香蓼属 | 丁香蓼 | *Ludwigia prostrata* |
| 266 | 小二仙草科 | 狐尾藻属 | 穗状狐尾藻 | *Mriophyllum spicatum* |
| 267 | | | 三裂狐尾藻 | *M. ussuriense* |
| 268 | | | 狐尾藻 | *M. verticillatum* |
| 269 | 杉叶藻科 | 杉叶藻属 | 四叶杉叶藻 | *Hippuris tetraphylla* |
| 270 | | | 杉叶藻 | *H. vulgaris* |
| 271 | 山茱萸科 | 山茱萸属 | 红瑞木 | *Cornus alba* |
| 272 | 伞形科 | 当归属 | 黑水当归 | *Angelica amurensis* |
| 273 | | | 狭叶当归 | *A. anomala* |
| 274 | | 毒芹属 | 毒芹 | *Cicuta virosa* |
| 275 | | 蛇床属 | 蛇床 | *Cnidium monnieri* |
| 276 | | 柳叶芹属 | 柳叶芹 | *Czernaevia laevigata* |
| 277 | | 牛防风属 | 兴安牛防风 | *Heracleum dissectum* |
| 278 | | | 东北牛防风 | *H. moellendorffii* |
| 279 | | 水芹属 | 水芹 | *Oenanthe javanica* |
| 280 | | 山芹属 | 全叶山芹 | *Ostericum maximowiczii* |
| 281 | | | 丝叶山芹 | *O. tenuifolia* |
| 282 | | | 绿花山芹 | *O. viridiflorum* |
| 283 | | 变豆菜属 | 瘤果变豆菜 | *Sanicula tuberculata* |
| 284 | | 泽芹属 | 泽芹 | *Sium suave* |
| 285 | | 迷果芹属 | 迷果芹 | *Sphallerocarpus gracilis* |
| 286 | 杜鹃花科 | 甸杜属 | 甸杜 | *Chamaedaphne calyculata* |
| 287 | | 杜香属 | 细叶杜香 | *Ledum palustre* |

（续）

| 序号 | 科 | 属 | 种 | |
|---|---|---|---|---|
| | | | 中文名 | 拉丁名 |
| 288 | 杜鹃花科 | 杜香属 | 宽叶杜香 | *L. palustre* var. *dilatatum* |
| 289 | | 毛蒿豆属 | 毛蒿豆 | *Oxycoecus microcarpus* |
| 290 | | 杜鹃花属 | 小叶杜鹃 | *Rhododendron parvifolium* |
| 291 | | 越橘属 | 笃斯越橘 | *Vaccinium uliginosum* |
| 292 | | | 越橘 | *V. vitis-idaea* |
| 293 | 报春花科 | 点地梅属 | 小点地梅 | *Androsace gmelinii* |
| 294 | | | 丝点地梅 | *A. filiformis* |
| 295 | | 海乳草属 | 海乳草 | *Glaux maritima* |
| 296 | | 珍珠菜属 | 狼尾菜 | *Lysimachia barystachys* |
| 297 | | | 黄连花 | *L. davurica* |
| 298 | | | 球尾花 | *L. thyrsiflora* |
| 299 | | 报春花属 | 翠南报春 | *Prinula sieboldii* |
| 300 | 木犀科 | 梣属 | 水曲柳 | *Fraxinus mandshurica* |
| 301 | 龙胆科 | 龙胆属 | 大叶龙胆 | *Gentiana macrophylla* |
| 302 | | | 东北龙胆 | *G. mandshurica* |
| 303 | | | 龙胆 | *G. scabra* |
| 304 | | | 三花龙胆 | *G. triflora* |
| 305 | | 扁蕾属 | 扁蕾 | *Gentianopsis barbata* |
| 306 | | | 乌苏里扁蕾 | *G. komarovii* |
| 307 | | 花锚属 | 花锚 | *Halenia corniculata* |
| 308 | | 肋柱花属 | 肋柱花 | *Lomatogonium rotatum* |
| 309 | | 獐牙菜属 | 东北獐牙菜 | *Swertia mandshurica* |
| 310 | | | 藜芦獐牙菜 | *S. veratroides* |
| 311 | 睡菜科 | 睡菜属 | 睡菜 | *Menyanthes trifoliata* |
| 312 | | 荇菜属 | 荇菜 | *Nymphoides peltata* |
| 313 | 萝藦科 | 白前属 | 白前 | *Cynanchum volubile* |
| 314 | 茜草科 | 拉拉藤属 | 兴安拉拉藤 | *Galium dahurica* |
| 315 | | | 山拉拉藤 | *G. pseudoasprellum* |
| 316 | | | 花拉拉藤 | *G. tokyoense* |
| 317 | | | 小叶拉拉藤 | *Galium trifidum* |

（续）

| 序号 | 科 | 属 | 种 | |
|---|---|---|---|---|
| | | | 中文名 | 拉丁名 |
| 318 | 花荵科 | 花荵属 | 花荵 | *Polemonium linil* |
| 319 | | | 柔毛花荵 | *P. villosum* |
| 320 | 旋花科 | 打碗花属 | 宽叶打碗花 | *Calystegia sepium* |
| 321 | 紫草科 | 斑种草属 | 柔弱斑种草 | *Bothriospermum tenellum* |
| 322 | | 勿忘草属 | 草原勿忘草 | *Myosotis suaveolens* |
| 323 | | 附地菜属 | 水甸附地菜 | *Trigonotis myosotidea* |
| 324 | 水马齿科 | 水马齿属 | 沼生水马齿 | *Callitriche palustris* |
| 325 | 唇形科 | 水棘针属 | 水棘针 | *Amethystea caerulea* |
| 326 | | 风轮菜属 | 风车草 | *Clinopodium chinense* |
| 327 | | 野芝麻属 | 野芝麻 | *Lamium album* |
| 328 | | 地瓜苗属 | 地瓜苗 | *Lycopus lucidus* |
| 329 | | 薄荷属 | 兴安薄荷 | *Mentha dahurica* |
| 330 | | | 薄荷 | *M. haplocalyx* |
| 331 | | 香茶菜属 | 蓝萼香茶菜 | *Plectranthus japonicus* |
| 332 | | 裂叶荆芥属 | 多裂荆芥 | *Schizonepeta multifida* |
| 333 | | 黄芩属 | 纤弱黄芩 | *Scutellaria dependens* |
| 334 | | | 京黄芩 | *S. pekinensis* |
| 335 | | | 狭叶黄芩 | *S. regeliana* |
| 336 | | | 图们黄芩 | *S. tuminensis* |
| 337 | | 水苏属 | 毛水苏 | *Stachys baicalensis* |
| 338 | | 百里香属 | 兴安百里香 | *Thymus dahuricus* |
| 339 | | 小米草属 | 东北小米草 | *Euphrasia amurensis* |
| 340 | | | 芒小米草 | *E. maximowiczii* |
| 341 | | 母草属 | 母草 | *Lindernia procumbens* |
| 342 | | 通泉草属 | 通泉草 | *Mazus japonicus* |
| 343 | | 沟酸浆属 | 沟酸浆 | *Mimulus tenellus* |
| 344 | | 疗齿草属 | 疗齿草 | *Odontites serotina* |
| 345 | | 马先蒿属 | 大野苏子马先蒿 | *Pedicularis grandiflora* |
| 346 | | | 小花沼生马先蒿 | *P. palustris* subsp. *karoi* |
| 347 | | | 返顾马先蒿 | *P. resupinata* |
| 348 | | | 秀丽马先蒿 | *P. venusta* |

（续）

| 序号 | 科 | 属 | 种 | |
|---|---|---|---|---|
| | | | 中文名 | 拉丁名 |
| 349 | 唇形科 | 马先蒿属 | 旌节马先蒿 | *P. sceptrum-carolinum* |
| 350 | 唇形科 | 马先蒿属 | 红纹马先蒿 | *P. striata* |
| 351 | 唇形科 | 马先蒿属 | 轮叶马先蒿 | *P. verticillata* |
| 352 | 唇形科 | 玄参属 | 北玄参 | *Scrophularia buergeriana* |
| 353 | 唇形科 | 阴行草属 | 阴行草 | *Siphonostegia chinensis* |
| 354 | 唇形科 | 婆婆纳属 | 水苦荬婆婆纳 | *Veronica anagallis-aquatica* |
| 355 | 唇形科 | 婆婆纳属 | 长果婆婆纳 | *V. anagalloides* |
| 356 | 唇形科 | 婆婆纳属 | 大婆婆纳 | *V. dahurica* |
| 357 | 唇形科 | 婆婆纳属 | 白婆婆纳 | *V. incana* |
| 358 | 唇形科 | 婆婆纳属 | 长毛婆婆纳 | *V. kiusiana* |
| 359 | 唇形科 | 婆婆纳属 | 细叶婆婆纳 | *V. linarifolia* |
| 360 | 唇形科 | 婆婆纳属 | 长尾婆婆纳 | *V. longifolia* |
| 361 | 唇形科 | 婆婆纳属 | 蚊母婆婆纳 | *V. peregrina* |
| 362 | 唇形科 | 婆婆纳属 | 东北婆婆纳 | *V. rotunda* var. *sudintegra* |
| 363 | 唇形科 | 婆婆纳属 | 卷毛婆婆纳 | *V. teucrium* |
| 364 | 唇形科 | 腹水草属 | 轮叶腹水草 | *Veronicastrum sibiricum* |
| 365 | 唇形科 | 腹水草属 | 管花腹水草 | *V. tubiflorum* |
| 366 | 胡麻科 | 茶菱属 | 茶菱 | *Trapella sinensis* |
| 367 | 列当科 | 草苁蓉属 | 草苁蓉 | *Boschniakia rossica* |
| 368 | 狸藻科 | 狸藻属 | 中狸藻 | *Vtricularia intemdia* |
| 369 | 狸藻科 | 狸藻属 | 小狸藻 | *V. minor* |
| 370 | 狸藻科 | 狸藻属 | 狸藻 | *V. vulgaris* |
| 371 | 车前科 | 车前属 | 北车前 | *Plantago media* |
| 372 | 忍冬科 | 忍冬属 | 蓝靛果忍冬 | *Lonicera edulis* |
| 373 | 五福花科 | 五福花属 | 五福花 | *Adoxa moschatellina* |
| 374 | 败酱科 | 败酱属 | 败酱 | *Patinia acabiosaefolia* |
| 375 | 败酱科 | 缬草属 | 缬草 | *Valeriana alternifolia* |
| 376 | 败酱科 | 缬草属 | 黑水缬草 | *V. amurensis* |
| 377 | 桔梗科 | 党参属 | 雀斑党参 | *Codonopsis ussuriensis* |
| 378 | 桔梗科 | 半边莲属 | 山梗菜 | *Lobelia sessilifolia* |
| 379 | 菊科 | 泽兰属 | 林泽兰 | *Eupatorium lindleyanum* |

（续）

| 序号 | 科 | 属 | 种 | |
|---|---|---|---|---|
| | | | 中文名 | 拉丁名 |
| 380 | 菊科 | 短星菊属 | 短星菊 | *Brachyactis hispidus* |
| 381 | | 狗娃花属 | 狗娃花 | *Heteropappus hispidus* |
| 382 | | 马兰属 | 裂叶马兰 | *Kalimeris incisa* |
| 383 | | | 山马兰 | *K. lautureana* |
| 384 | | | 蒙古马兰 | *K. mongolica* |
| 385 | | 女菀属 | 女菀 | *Turczaninowia fastogoata* |
| 386 | | 腺梗菜属 | 腺梗菜 | *Adenocaulon himalaicum* |
| 387 | | 鼠曲属 | 贝加尔鼠曲草 | *Gnaphalium baicalense* |
| 388 | | | 东北鼠曲草 | *G. mandshuricum* |
| 389 | | | 湿生鼠曲草 | *G. tranzschelii* |
| 390 | | 旋覆花属 | 欧亚旋覆花 | *Inula britannica* |
| 391 | | | 旋覆花 | *I. japonica* |
| 392 | | | 线叶旋覆花 | *I. linariaefolia* |
| 393 | | | 柳叶旋覆花 | *I. salicina* |
| 394 | | 合苞草属 | 合苞草 | *Symphyllocarpus exilis* |
| 395 | | 鬼针草属 | 鬼针草 | *Bidens bipinnata* |
| 396 | | | 柳叶鬼针草 | *B. cernua* |
| 397 | | | 羽叶鬼针草 | *B. maximowiczii* |
| 398 | | | 兴安鬼针草 | *B. radiata* |
| 399 | | | 狼巴草 | *B. tripartita* |
| 400 | | 豨莶属 | 毛豨莶 | *Siegesbeckia pubescens* |
| 401 | | 蓍属 | 齿叶蓍 | *Achillea acuminata* |
| 402 | | | 亚洲蓍 | *A. asiatica* |
| 403 | | | 短瓣蓍 | *A. ptarmicoides* |
| 404 | | 蒿属 | 丝叶蒿 | *Artemisia adamsii* |
| 405 | | | 碱蒿 | *A. anethifolia* |
| 406 | | | 柳蒿 | *A. integrifolia* |
| 407 | | | 牡蒿 | *A. japonica* |
| 408 | | | 水蒿 | *A. selengensis* |
| 409 | | 艾菊属 | 艾菊 | *Tanacetum vulgare* |
| 410 | | 三肋果属 | 三肋果 | *Tripleurospermum limosum* |

（续）

| 序号 | 科 | 属 | 种 | |
|---|---|---|---|---|
| | | | 中文名 | 拉丁名 |
| 411 | 菊科 | 三肋果属 | 东北三肋果 | *T. tetragonospermum* |
| 412 | | 蟹甲草属 | 山尖子 | *Cacalia hastata* |
| 413 | | 橐吾属 | 蹄叶橐吾 | *Ligularia fischeri* |
| 414 | | | 狭苞橐吾 | *L. intermedia* |
| 415 | | | 全缘囊吾 | *L. mongolica* |
| 416 | | | 兴安囊吾 | *L. ovato-obolonga* |
| 417 | | | 北囊吾 | *L. sibirica* |
| 418 | | 蜂斗菜属 | 掌叶蜂斗菜 | *Petasites tetewakianus* |
| 419 | | 麻叶千里光属 | 麻叶千里光 | *Senecio cannabifolius* |
| 420 | | | 黄菀 | *S. Nemorensis* |
| 421 | | 狗舌草属 | 湿生狗舌草 | *Tephroseris palustris* |
| 422 | | 飞廉属 | 丝毛飞廉 | *Cardnus crispus* |
| 423 | | 蓟属 | 野蓟 | *Cirsium maackii* |
| 424 | | | 烟管蓟 | *C. pendulum* |
| 425 | | | 林蓟 | *C. schantranse* |
| 426 | | 泥胡菜属 | 泥胡菜 | *Hemistepta lyrata* |
| 427 | | 风毛菊属 | 密花风毛菊 | *Saussurea acuminata* |
| 428 | | | 草地风毛菊 | *Saussurea amara* |
| 429 | | | 龙江风毛菊 | *S. amurensis* |
| 430 | | | 羽叶风毛菊 | *S. maximowiczii* |
| 431 | | 麻花头属 | 伪泥胡菜 | *Serratula coronata* |
| 432 | | | 钟苞麻花头 | *S. cupuliformis* |
| 433 | | 山牛蒡属 | 山牛蒡 | *Synurus deltoides* |
| 434 | | 黄金菊属 | 黄金菊 | *Achyrophorus ciliatus* |
| 435 | | 山柳菊属 | 全缘山柳菊 | *Hieracium hololeion* |
| 436 | | 莴苣属 | 山莴苣 | *Lactuca indica* |
| 437 | | | 毛脉山莴苣 | *L. raddeana* |
| 438 | | | 北山莴苣 | *L. sibirica* |
| 439 | | 毛连菜属 | 兴安毛连菜 | *Picris dahurica* |
| 440 | | 苦苣菜属 | 苣荬菜 | *Sonchus brachyotus* |
| 441 | | 蒲公英属 | 戟片蒲公英 | *Taraxacum asiaticum* |

（续）

| 序号 | 科 | 属 | 种 | |
|---|---|---|---|---|
| | | | 中文名 | 拉丁名 |
| 442 | 菊科 | 蒲公英属 | 芥叶蒲公英 | *T. brassicaefolium* |
| 443 | | | 红梗蒲公英 | *T. erythopodium* |
| 444 | | | 东北蒲公英 | *T. ohwianum* |
| 445 | | | 华蒲公英 | *T. sinicum* |
| 446 | | | 凸尖蒲公英 | *T. sinomongolicum* |
| 447 | | 黄鹌菜属 | 细叶黄鹌菜 | *Youngia tenuifolia* |
| 448 | 泽泻科 | 泽泻属 | 泽泻 | *Alisma orientale* |
| 449 | | 慈姑属 | 小慈姑 | *Sagittaria natans* |
| 450 | | | 三裂慈姑 | *S. trifolia* |
| 451 | 花蔺科 | 花蔺属 | 花蔺 | *Butomus umbellatus* |
| 452 | 水鳖科 | 黑藻属 | 黑藻 | *Hydrilla varticillata* |
| 453 | | 水鳖属 | 水鳖 | *Hydrocharis dubia* |
| 454 | | 水车前属 | 水车前 | *Ottelia alismoides* |
| 455 | | 苦草属 | 苦草 | *Vallisneria asiatica* |
| 456 | 水麦冬科 | 水麦冬属 | 水麦冬 | *Triglochin palustre* |
| 457 | 眼子菜科 | 眼子菜属 | 柳叶眼子菜 | *Potamogeton compressus* |
| 458 | | | 菹草 | *P. crispus* |
| 459 | | | 突果眼子菜 | *P. cristatus* |
| 460 | | | 眼子菜 | *P. distinctus* |
| 461 | | | 异叶眼子菜 | *P. cramineus* |
| 462 | | | 光叶眼子菜 | *P. lucens* |
| 463 | | | 东北眼子菜 | *P. mandghuriensis* |
| 464 | | | 小浮叶眼子菜 | *P. mizuhikimo* |
| 465 | | | 浮叶眼子菜 | *P. natens* |
| 466 | | | 穿叶眼子菜 | *P. perfoliatus* |
| 467 | | | 小眼子菜 | *P. pussillus* |
| 468 | | 角果藻属 | 角果藻 | *Zannichellia palustris* |
| 469 | 茨藻科 | 茨藻属 | 细叶茨藻 | *Najas graminea* |
| 470 | | | 茨藻 | *N. marina* |
| 471 | | | 小茨藻 | *N. minor* |

（续）

| 序号 | 科 | 属 | 种 | |
|---|---|---|---|---|
| | | | 中文名 | 拉丁名 |
| 472 | 百合科 | 葱属 | 球序韭 | *Allium victorialis* |
| 473 | | | 辉韭 | *A. thunbergii* |
| 474 | | | 茖葱 | *A. strictum* |
| 475 | | 铃兰属 | 铃兰 | *Convallaria keiskei* |
| 476 | | 贝母属 | 平贝母 | *Fritillaria ussuriensis* |
| 477 | | 萱草属 | 大苞萱草 | *Hemerocallis middendorfii* |
| 478 | | | 小黄花菜 | *H. minor* |
| 479 | | 百合属 | 条叶百合 | *Lilium callosum* |
| 480 | | | 毛百合 | *L. dauricum* |
| 481 | | | 山丹 | *L. pumilum* |
| 482 | | 藜芦属 | 兴安藜芦 | *Veratrum dahuricum* |
| 483 | | | 毛穗藜芦 | *V. maackii* |
| 484 | | | 尖被藜芦 | *V. oxysepalum* |
| 485 | 雨久花科 | 雨久花属 | 雨久花 | *Monochoria korsakowii* |
| 486 | | | 鸭舌草 | *M. vaginalis* |
| 487 | 鸢尾科 | 鸢尾属 | 玉蝉花 | *Iris ensata* |
| 488 | | | 燕子花 | *I. laevigata* |
| 489 | | | 乌苏里鸢尾 | *I. maackii* |
| 490 | | | 溪荪 | *I. setosa* |
| 491 | | | 山鸢尾 | *I. sanguinea* |
| 492 | 灯心草科 | 灯心草属 | 长苞灯心草 | *Jucus brachyspathus* |
| 493 | | | 小灯心草 | *J. bufonius* |
| 494 | | | 灯心草 | *J. effesus* |
| 495 | | | 细灯心草 | *J. gracillimus* |
| 496 | | | 滨灯心草 | *J. haenkei* |
| 497 | | | 乳头灯心草 | *J. papillosus* |
| 498 | | | 尖被灯心草 | *J. turcxallinowii* |
| 499 | | 地杨梅属 | 淡花地杨梅 | *Luxula pallescens* |
| 500 | | | 火红地杨梅 | *L. rufescens* |
| 501 | 鸭跖草科 | 鸭跖草属 | 鸭趾草 | *Commelina communis* |

（续）

| 序号 | 科 | 属 | 种 | |
|---|---|---|---|---|
| | | | 中文名 | 拉丁名 |
| 502 | 谷精草科 | 谷精草属 | 黑谷精草 | *Eriocaulon atrum* |
| 503 | | | 长苞谷精草 | *Eriocaulon decemflorum* |
| 504 | | | 乌苏里谷精草 | *E. ussuriensis* |
| 505 | 禾本科 | 菰属 | 菰 | *Zizania latifolia* |
| 506 | | 芦苇属 | 芦苇 | *Phragmites communis* |
| 507 | | 莎禾属 | 莎禾 | *Coleanthus subtilis* |
| 508 | | 隐花草属 | 隐花草 | *Crypsis aculeata* |
| 509 | | 剪股颖属 | 华北剪股颖 | *Agrostis clavata* |
| 510 | | | 多枝剪股颖 | *A. divaricatissima* |
| 511 | | | 小糠草 | *A. gigantea* |
| 512 | | | 芒剪股颖 | *A. tuinii* |
| 513 | | | 巨药剪股颖 | *A. macranthera* |
| 514 | | 看麦娘属 | 短穗看麦娘 | *Alopecurus aequalis* |
| 515 | | | 看麦娘 | *Alopecurus brachystachys* |
| 516 | | | 长芒看麦娘 | *A. Longiaristatus* |
| 517 | | 菵草属 | 菵草 | *Beckmannia syzigachne* |
| 518 | | 拂子茅属 | 小叶章 | *Calamagrostis angustifolia* |
| 519 | | | 野青茅 | *C. arundinacea* |
| 520 | | | 硬拂子茅 | *C. epigejos* |
| 521 | | | 大叶章 | *C. langsdorffii* |
| 522 | | | 野青茅 | *C. lapponica* |
| 523 | | 乱子草属 | 乱子草 | *Muhlenbrgia hugelii* |
| 524 | | | 日本乱子草 | *M. Japonica* |
| 525 | | 虉草属 | 虉草 | *Phalaris arundinacea* |
| 526 | | 甜茅属 | 散穗甜茅 | *Glyceria effusa* |
| 527 | | | 假鼠妇草 | *G. leptolepis* |
| 528 | | | 狭叶甜茅 | *G. spiculosa* |
| 529 | | | 东北甜茅 | *G. triflora* |
| 530 | | 早熟禾属 | 早熟禾 | *Poa annua* |
| 531 | | | 湿地早熟禾 | *P. palustris* |
| 532 | | | 散穗早熟禾 | *P. subfastigiata* |

（续）

| 序号 | 科 | 属 | 种 | |
|---|---|---|---|---|
| | | | 中文名 | 拉丁名 |
| 533 | 禾本科 | 碱茅属 | 朝鲜碱茅 | *Puccinellia tenuiflora* |
| 534 | | | 鹤甫碱茅 | *P. hauptiana* |
| 535 | | | 微药碱茅 | *P. micrandra* |
| 536 | | | 星星草 | *P. tenuiflora* |
| 537 | | 粟草属 | 粟草 | *Millium effusum* |
| 538 | | 牛鞭草属 | 牛鞭草 | *Hemathria sibirica* |
| 539 | | 荻属 | 荻 | *Miscanthus sacchariflorus* |
| 540 | | 马唐属 | 止血马唐 | *Digttaria ischaemum* |
| 541 | | 稗属 | 野稗 | *Echinchloa crusgalii* |
| 542 | 天南星科 | 菖蒲属 | 菖蒲 | *Acorus calamus* |
| 543 | | 水芋属 | 水芋 | *Calla palustris* |
| 544 | | 臭菘属 | 臭菘 | *Symplocarpus foetidus* |
| 545 | 浮萍科 | 紫萍属 | 紫萍 | *Spirodela polyrrhiza* |
| 546 | | 浮萍属 | 浮萍 | *Lamna minor* |
| 547 | | | 稀脉浮萍 | *L. perpusilla* |
| 548 | | | 品藻 | *L. trisulca* |
| 549 | 黑三棱科 | 黑三棱属 | 黑三棱 | *Sparganium coreanum* |
| 550 | | | 密序黑三棱 | *S. glomeratum* |
| 551 | | | 矮黑三棱 | *S. minimum* |
| 552 | | | 阿穆尔黑三棱 | *S. rothertii* |
| 553 | | | 狭叶黑三棱 | *S. tenophyllum* |
| 554 | 香蒲科 | 香蒲属 | 狭叶香蒲 | *Typha angustifolia* |
| 555 | | | 宽叶香蒲 | *T. latifolia* |
| 556 | | | 短穗香蒲 | *T. laxmanni* |
| 557 | | | 香蒲 | *T. orientalis* |
| 558 | 莎草科 | 荸荠属 | 扁基荸荠 | *Eleocharis fennica* |
| 559 | | | 槽杆荸荠 | *E. equiaetiformis* |
| 560 | | | 中间型荸荠 | *E. intersita* |
| 561 | | | 乳头基荸荠 | *E. mamillata* |
| 562 | | | 细杆荸荠 | *E. maximowiczii* |
| 563 | | | 卵穗荸荠 | *E. ovata* |

（续）

| 序号 | 科 | 属 | 种 | |
|---|---|---|---|---|
| | | | 中文名 | 拉丁名 |
| 564 | 莎草科 | 荸荠属 | 穗生苗荸荠 | *E. pellacida* |
| 565 | | | 长刺牛毛毡 | *E. yokoscensis* |
| 566 | | 羊胡子草属 | 细杆羊胡子草 | *Eriophorum gracile* |
| 567 | | | 东方羊胡子草 | *E. polystachion* |
| 568 | | | 红毛羊胡子草 | *E. russcolum* |
| 569 | | | 羊胡子草 | *E. vaginatum* |
| 570 | | 飘拂草属 | 夏飘拂草 | *Fimbristylis aestivalis* |
| 571 | | | 曲芒飘拂草 | *F. Squarrosa* |
| 572 | | | 庞果飘拂草 | *F. verruciffera* |
| 573 | | 藨草属 | 荆三棱 | *Scirpus fluviatilis* |
| 574 | | | 吉林藨草 | *S. komarovii* |
| 575 | | | 头穗藨草 | *S. michelianus* |
| 576 | | | 三江藨草 | *S. nipponicus* |
| 577 | | | 东方藨草 | *S. orientalis* |
| 578 | | | 扁秆藨草 | *S. planiculmis* |
| 579 | | | 单穗藨草 | *S. radicans* |
| 580 | | | 水葱 | *S. tabernaemontani* |
| 581 | | | 水毛花 | *S. triangulatus* |
| 582 | | | 藨草 | *S. triqueter* |
| 583 | | 莎草属 | 黑水莎草 | *Cyperus amuricus* |
| 584 | | | 球穗莎草 | *C. difformis* |
| 585 | | | 密穗莎草 | *C. fuscus* |
| 586 | | | 头穗莎草 | *C. glomeratus* |
| 587 | | | 黄颖莎草 | *C. microiria* |
| 588 | | 水莎草属 | 沼生水莎草 | *Juncellus limosus* |
| 589 | | | 水莎草 | *J. serotinus* |
| 590 | | 水蜈松属 | 水蜈蚣 | *Kyllinga brevifolia* |
| 591 | | 扁莎属 | 球穗扁莎 | *Pycreus globosus* |
| 592 | | 薹草属 | 短鳞薹草 | *Carex angustinowiczii* |
| 593 | | | 亚美薹草 | *C. aperta* |
| 594 | | | 灰脉薹草 | *C. appendiculata* |

（续）

| 序号 | 科 | 属 | 种 | |
|---|---|---|---|---|
| | | | 中文名 | 拉丁名 |
| 595 | 莎草科 | 薹草属 | 乌拉草 | *C. meyeriana* |
| 596 | | | 滑茎薹草 | *C. micrantha* |
| 597 | | | 翼果薹草 | *C. neurocarpa* |
| 598 | | | 直穗薹草 | *C. orthostachys* |
| 599 | | | 疣中薹草 | *C. pallida* |
| 600 | | | 假松薹草 | *C. pseudo biwensis* |
| 601 | | | 漂筏薹草 | *C. pseudo curaica* |
| 602 | | | 灰珠薹草 | *C. rostrata* |
| 603 | | | 大穗薹草 | *C. rhynchophysa* |
| 604 | | | 粗脉薹草 | *C. rugurosa* |
| 605 | | | 臌囊薹草 | *C. schmidtii* |
| 606 | | | 陌上菅 | *C. thunbergii* |
| 607 | | | 乌苏里薹草 | *C. ussuriensis* |
| 608 | | | 膜囊薹草 | *C. vesicaria* |
| 609 | | | 额尔古纳薹草 | *C. argunensis* |
| 610 | | | 丛薹草 | *C. caespitosa* |
| 611 | | | 单穗薹草 | *C. capillacea* |
| 612 | | | 弓嘴薹草 | *C. capricornis* |
| 613 | | | 匍枝薹草 | *C. cinerascens* |
| 614 | | | 狭囊薹草 | *C. diplasiocarpa* |
| 615 | | | 薹草 | *C. dispalata* |
| 616 | | | 二籽薹草 | *C. disperma* |
| 617 | | | 野笠薹草 | *C. drymophila* |
| 618 | | | 毛脉薹草 | *C. enervis* |
| 619 | | | 离穗薹草 | *C. remoopyroides* |
| 620 | | | 米柱薹草 | *C. glaucaeformis* |
| 621 | | | 玉簪薹草 | *C. globularis* |
| 622 | | | 红穗薹草 | *C. gotoi* |
| 623 | | | 异鳞薹草 | *C. heterolepis* |
| 624 | | | 湿薹草 | *C. humida* |
| 625 | | | 长杆薹草 | *C. kirgnica* |

（续）

| 序号 | 科 | 属 | 种 | |
|---|---|---|---|---|
| | | | 中文名 | 拉丁名 |
| 626 | 莎草科 | 薹草属 | 假尖咀薹草 | *C. laevissima* |
| 627 | | | 尖咀薹草 | *C. leiorhyncha* |
| 628 | | | 沼薹草 | *C. limosa* |
| 629 | | | 毛薹草 | *C. lasiocarpa* |
| 630 | | | 等穗薹草 | *C. leucochlora* |
| 631 | | | 二柱薹草 | *C. lithophila* |
| 632 | | | 卵果薹草 | *C. maackii* |
| 633 | | | 紫茎薹草 | *C. media* |
| 634 | 兰科 | 凹舌兰属 | 凹舌兰 | *Coeloglossum vivide* |
| 635 | | 杓兰属 | 黄囊杓兰 | *C. ypripediurn calcolus* |
| 636 | | 杓兰属 | 大花杓兰 | *C. macranthum* |
| 637 | | 火烧兰属 | 火烧兰 | *Epipactis thubergii* |
| 638 | | 手掌参属 | 手掌参 | *Gymnadenia conopsea* |
| 639 | | 玉凤花属 | 十字兰 | *Habenaria sagittifera* |
| 640 | | 角盘兰属 | 角盘兰 | *Herminium monorchis* |
| 641 | | 羊耳蒜属 | 曲唇羊耳蒜 | *Liparis kumokiri* |
| 642 | | 沼兰属 | 沼兰 | *Malaxis monophyllos* |
| 643 | | 红门兰属 | 宽叶红门兰 | *Orchis latifol ia* |
| 644 | | 舌唇兰属 | 二叶舌唇兰 | *Platanthera chlorantha* |
| 645 | | | 密花舌唇兰 | *P. hologlottis* |
| 646 | | 绶草属 | 绶草 | *Spiranthes sinensis* |
| 647 | | 蜻蜓兰属 | 晴蜓兰 | *Tulotis fuscesce* |

# 附录2　黑龙江湿地调查区域动物名录

| 序号 | 目 | 科 | 种 | |
|---|---|---|---|---|
| | | | 中文名 | 拉丁名 |
| 一、脊椎动物 | | | | |
| (一)鱼　类 | | | | |
| 1 | 鳃鳗目 | 七鳃鳗科 | 雷氏七鳃鳗 | *Lainpetra reissneri* |
| 2 | | | 日本七鳃鳗 | *Lampetra japonica* |
| 3 | 鲟形目 | 鲟科 | 施氏鲟 | *Acipenser schrenckii* |
| 4 | | | 鳇 | *Huso dauricus* |
| 5 | 鲑形目 | 鲑科 | 马苏大马哈鱼(降海型) | *Oncorynchus masou* |
| 6 | | | 马苏大马哈鱼(陆封型) | *Oncorynchus masou* |
| 7 | | | 驼背大马哈鱼 | *Oncorychus gorbuscha* |
| 8 | | | 大马哈鱼 | *Oncorhynchus keta* |
| 9 | | | 虹鳟 | *Oncorhynchus mykiss* |
| 10 | | | 花羔红点鲑 | *Salvenlinus malma* |
| 11 | | | 哲罗鲑 | *Hucho taimen* |
| 12 | | | 细鳞鱼 | *Brachymystax lenok* |
| 13 | | | 乌苏里白鲑 | *Coregonus ussuriensis* |
| 14 | | | 卡达白鲑 | *Coregonus chadary* |
| 15 | | 鲴鱼科 | 黑龙江鲴鱼 | *Thymallus arcticus* |
| 16 | | 胡瓜鱼科 | 亚洲公鱼 | *Hypomesus nipponersis* |
| 17 | | | 沼泽公鱼 | *Hypomesus olidus* |
| 18 | | 银鱼科 | 大银鱼 | *Protosalanx hyalocranius* |
| 19 | | 狗鱼科 | 黑斑狗鱼 | *Esox reicherti* |
| 20 | 鲤形目 | 鲤科 | 马口鱼 | *Opsariichthys bidens* |
| 21 | | | 中华细鲫 | *Aphyocypris chinensis* |
| 22 | | | 青鱼 | *Mylopharyngodon piceus* |
| 23 | | | 湖拟鲤 | *Rutilus rutilus* |
| 24 | | | 草鱼 | *Ctenopharyngodon idellus* |
| 25 | | | 真鲂 | *Phoxinus phoxinus* |
| 26 | | | 湖鲂 | *Phoxinus percnurus* |
| 27 | | | 花江鲂 | *Phoxinus czekanowskii* |
| 28 | | | 拉氏鲂 | *Phoxinus lagowskii* |

（续）

| 序号 | 目 | 科 | 种 | |
|---|---|---|---|---|
| | | | 中文名 | 拉丁名 |
| 29 | 鲤形目 | 鲤科 | 瓦氏雅罗鱼 | *Leuciscus waleckii* |
| 30 | | | 三块鱼 | *Tribolodon brandti* |
| 31 | | | 珠星三块鱼 | *Tribolodon hakonensis* |
| 32 | | | 拟赤梢鱼 | *Pseudaspius leptocephalus* |
| 33 | | | 赤眼鳟 | *Squaliobarbus curriculus* |
| 34 | | | 鳡鱼 | *Elopichthys bambusa* |
| 35 | | | 鳘 | *Hemiculter leucisculus* |
| 36 | | | 贝氏鳘 | *Hemiculter bleekeri* |
| 37 | | | 兴凯鳘 | *Hemiculter lucidus* |
| 38 | | | 红鳍原鲌 | *Culterichthysr erythropterus* |
| 39 | | | 扁体原鲌 | *Culterichthys compressocorpus* |
| 40 | | | 翘嘴鲌 | *Culter alburnus* |
| 41 | | | 尖头鲌 | *Culter oxycephalus* |
| 42 | | | 蒙古鲌 | *Culter mongolicus* |
| 43 | | | 达氏鲌 | *Culter dabryi dabryi* |
| 44 | | | 兴凯鲌 | *Culter dabryi shinkainesnis* |
| 45 | | | 鳊 | *Parabramis pekinensis* |
| 46 | | | 鲂 | *Megalobrama skolkovvi* |
| 47 | | | 团头鲂 | *Megalobrama amblycephalay* |
| 48 | | | 银鲴 | *Xenocypris argentea* |
| 49 | | | 细磷鲴 | *Xenocypris microlepis* |
| 50 | | | 似鳊 | *Pseudobrama simoni* |
| 51 | | | 黑龙江鳑鲏 | *Rhodeus sericeus* |
| 52 | | | 大鳍鱊 | *Acheilognathus macropterus* |
| 53 | | | 兴凯鱊 | *Acheilognathus chankaensis* |
| 54 | | | 东北鳈 | *Sarcocheilichthys lacustris* |
| 55 | | | 克氏鳈 | *Sarcocheilichthys czerskii* |
| 56 | | | 犬首鮈 | *Gobio cynocephalus* |
| 57 | | | 大头鮈 | *Gobio macrocephalus* |
| 58 | | | 高体鮈 | *Gobio soldatovi* |
| 59 | | | 凌源鮈 | *Gobio lingyuanensis* |
| 60 | | | 细体鮈 | *Gobio tenuicorpus* |

（续）

| 序号 | 目 | 科 | 种 | |
|---|---|---|---|---|
| | | | 中文名 | 拉丁名 |
| 61 | 鲤形目 | 鲤科 | 唇䱻 | *Hemibarbus labeo* |
| 62 | | | 花䱻 | *Hemibarbus maculatus* |
| 63 | | | 条纹似白鮈 | *Paraleucogobio strigatus* |
| 64 | | | 麦穗鱼 | *Pseudorasbora parva* |
| 65 | | | 平口鮈 | *Ladislavia taczanowskii* |
| 66 | | | 东北颌须鮈 | *Gnathopogon mantschuricus* |
| 67 | | | 兴凯银鮈 | *Squalidus chankaensis* |
| 68 | | | 银鮈 | *Squalidus argentatus* |
| 69 | | | 棒花鱼 | *Abbottina rivularis* |
| 70 | | | 辽宁棒花 | *Abbottina liaoningensis* |
| 71 | | | 突吻鮈 | *Rostrogobio amurensis* |
| 72 | | | 蛇鮈 | *Saurogobio dabryi* |
| 73 | | | 鲤 | *Cyprinus carpio* |
| 74 | | | 银鲫 | *Carassius auratus* |
| 75 | | | 潘氏鳅鮀 | *Gobiobotia pappenheimi* |
| 76 | | | 鳙 | *Aristichthys nobilis* |
| 77 | | | 鲢 | *Hypophthalmichthys molitrix* |
| 78 | | 鳅科 | 北鳅 | *Lefua costata* |
| 79 | | | 北方须鳅 | *Barbatula nudus* |
| 80 | | | 花斑副沙鳅 | *Parabotia fasciata* |
| 81 | | | 黑龙江花鳅 | *Cobitis lutheri* |
| 82 | | | 北方花鳅 | *Cobitis granoei* |
| 83 | | | 黑龙江泥鳅 | *Misgurnus moloity* |
| 84 | | | 北方泥鳅 | *Misgurnus bipartitus* |
| 85 | | | 大鳞副泥鳅 | *Paramisgurnus dabryanus* |
| 86 | 鲶形目 | 鲶科 | 怀头鲶 | *Silurus soldatovi* |
| 87 | | | 鲶 | *Silurus asotus* |
| 88 | | 鲿科 | 黄颡鱼 | *Pelteobagrus fulvidraco* |
| 89 | | | 光泽黄颡鱼 | *Pelteobagrus nitidus* |
| 90 | | | 纵带鮠 | *Leiocassis argentivittatus* |
| 91 | | | 乌苏里拟鲿 | *Pseudobagrus ussuriensis* |
| 92 | | 青鳉科 | 青鳉 | *Oryzias latipes* |

（续）

| 序号 | 目 | 科 | 种 | |
|---|---|---|---|---|
| | | | 中文名 | 拉丁名 |
| 93 | 鳕形目 | 鳕科 | 江鳕 | *Lota lata* |
| 94 | | 刺鱼科 | 中华多刺鱼 | *Pungitius sinensis* |
| 95 | 鲈形目 | 鲻科 | 鲻 | *Mugil cephalus* |
| 96 | | 鮨科 | 鳜鱼 | *Siniperca chuatsi* |
| 97 | | 鲈科 | 河鲈 | *Perca fluviatilis* |
| 98 | | | 梭鲈 | *Lucioperca lucioperca* |
| 99 | | 塘鳢科 | 葛氏鲈塘鳢 | *Perccottus glehni* |
| 100 | | | 黄鱼幼鱼 | *Hypseleotris swinhonis* |
| 101 | | 鰕虎鱼科 | 褐栉鰕虎鱼 | *Ctenogobius brunneus* |
| 102 | | 斗鱼科 | 圆尾斗鱼 | *Macropodus chinensis* |
| 103 | | 鳢科 | 乌鳢 | *Channa argus* |
| 104 | 鲉形目 | 杜父鱼科 | 黑龙江中杜父鱼 | *Mesocottus haitej* |
| 105 | | | 杂色杜父鱼 | *Cottus poecilopus* |
| 106 | | | 克氏杜父鱼 | *Cottus czerskii* |
| （二）两栖类 | | | | |
| 1 | 有尾目 | 小鲵科 | 东北小鲵 | *Hynobius leechii* |
| 2 | | | 极北鲵 | *Salamandrella keyerlingii* |
| 3 | | | 爪鲵 | *Onychodactylus fischeri* |
| 4 | 无尾目 | 铃蟾科 | 东方铃蟾 | *Bombina orientalis* |
| 5 | | 蟾蜍科 | 中华蟾蜍 | *Bufo gargarizans* |
| 6 | | | 花背蟾蜍 | *Bufo raddei* |
| 7 | | 雨蛙科 | 东北雨蛙 | *Hyla ussuriensis* |
| 8 | | 蛙科 | 黑龙江林蛙 | *Rana amurensis* |
| 9 | | | 东北林蛙 | *Rana dybowskii* |
| 10 | | | 黑斑侧褶蛙 | *Pelophylax nigromaculata* |
| 11 | | | 东北粗皮蛙 | *Rugosa emeljanovi* |
| 12 | | 姬蛙科 | 北方狭口蛙 | *Kaloula borealis* |
| （三）爬行类 | | | | |
| 1 | 龟鳖目 | 鳖科 | 鳖 | *Pelodiscus sinensis* |
| 2 | 蛇目 | 游蛇科 | 东亚腹链蛇 | *Amphiesma vibakari* |
| 3 | | | 赤链蛇 | *Dinodon rufozonatum* |
| 4 | | | 红点锦蛇 | *Elaphe rufodorsata* |

（续）

| 序号 | 目 | 科 | 种 | |
|---|---|---|---|---|
| | | | 中文名 | 拉丁名 |
| 5 | 蛇目 | 游蛇科 | 虎斑颈槽蛇 | *Rhabdophis tigrinus* |
| **（四）鸟类** | | | | |
| 1 | 潜鸟目 | 潜鸟科 | 红喉潜鸟 | *Gavia stellata* |
| 2 | | | 黑喉潜鸟 | *Gavia arctica* |
| 3 | | | 太平洋潜鸟 | *Gavia pacifica* |
| 4 | 䴙䴘目 | 䴙䴘科 | 小䴙䴘 | *Tachybatus ruficollis* |
| 5 | | | 角䴙䴘 | *Podiceps auritus* |
| 6 | | | 黑颈䴙䴘 | *Podiceps nigricollis* |
| 7 | | | 凤头䴙䴘 | *Podiceps cristatus* |
| 8 | | | 赤颈䴙䴘 | *Podiceps grisegena* |
| 9 | 鹱形目 | 海燕科 | 白腰叉尾海燕 | *Oceanodroma leucorhoa* |
| 10 | 鹈形目 | 鸬鹚科 | 普通鸬鹚 | *Phalacrocorax carbo* |
| 11 | | | 海鸬鹚 | *Phalacrocorax pelagicus* |
| 12 | | | 红脸鸬鹚 | *Phalacrocorax urile* |
| 13 | 鹳形目 | 鹭科 | 苍鹭 | *Ardea cinerea* |
| 14 | | | 草鹭 | *Ardea purpurea* |
| 15 | | | 大白鹭 | *Ardea alba* |
| 16 | | | 绿鹭 | *Butorides striatus* |
| 17 | | | 白鹭 | *E. gdrzetta* |
| 18 | | | 黄嘴白鹭 | *Egretta eulophotes* |
| 19 | | | 夜鹭 | *Nycticorax nycticorax* |
| 20 | | | 池鹭 | *Ardeola bacchus* |
| 21 | | | 牛背鹭 | *Bubulcus ibis* |
| 22 | | | 黄斑苇鳽 | *Ixobrychus sinensis* |
| 23 | | | 紫背苇鳽 | *Ixobrychus eurhythmus* |
| 24 | | | 大麻鳽 | *Botaurus stellaris* |
| 25 | | 鹳科 | 东方白鹳 | *Ciconia boyciana* |
| 26 | | | 黑鹳 | *Ciconia nigra* |
| 27 | | | 白琵鹭 | *Platalea leucorodia* |
| 28 | | | 黑脸琵鹭 | *Platalea minor* |
| 29 | | | 黑头白鹮 | *Threskiornis melanocephalus* |

（续）

| 序号 | 目 | 科 | 种 | |
|---|---|---|---|---|
| | | | 中文名 | 拉丁名 |
| 30 | 鹳形目 | 鹮科 | 朱鹮 | *Nipponia nippon* |
| 31 | 雁形目 | 鸭科 | 黑雁 | *Branta bernicla* |
| 32 | | | 鸿雁 | *Anser cygnoides* |
| 33 | | | 雪雁 | *Anser caerulescens* |
| 34 | | | 豆雁 | *Anser fabalis* |
| 35 | | | 白额雁 | *Anser albifrons* |
| 36 | | | 小白额雁 | *Anser erythropus* |
| 37 | | | 灰雁 | *Anser anser* |
| 38 | | | 大天鹅 | *Cygnus cygnus* |
| 39 | | | 小天鹅 | *Cygnus columbianus* |
| 40 | | | 疣鼻天鹅 | *Cygnus olor* |
| 41 | | | 赤麻鸭 | *Tadorna ferruginea* |
| 42 | | | 翘鼻麻鸭 | *Tadorna tadorna* |
| 43 | | | 针尾鸭 | *Anas acuta* |
| 44 | | | 绿翅鸭 | *Anascrecca* |
| 45 | | | 花脸鸭 | *Anasformosa* |
| 46 | | | 罗纹鸭 | *Anas falcata* |
| 47 | | | 绿头鸭 | *Anas platyrhynchos* |
| 48 | | | 斑嘴鸭 | *Anas poecilorhyncha* |
| 49 | | | 赤膀鸭 | *Anas strepera* |
| 50 | | | 赤颈鸭 | *Anas penelope* |
| 51 | | | 白眉鸭 | *Anas querquedula* |
| 52 | | | 琵嘴鸭 | *Anas clypeata* |
| 53 | | | 葡萄胸鸭 | *Anas americana* |
| 54 | | | 红头潜鸭 | *Aythya ferina* |
| 55 | | | 青头潜鸭 | *Aythya baeri* |
| 56 | | | 凤头潜鸭 | *Aythya fuligula* |
| 57 | | | 白眼潜鸭 | *Aythya nyroca* |
| 58 | | | 斑背潜鸭 | *Aythya marila* |
| 59 | | | 鸳鸯 | *Aix galericulata* |
| 60 | | | 小绒鸭 | *Pollysticta stelleri* |

（续）

| 序号 | 目 | 科 | 种 | |
|---|---|---|---|---|
| | | | 中文名 | 拉丁名 |
| 62 | 雁形目 | 鸭科 | 丑鸭 | *Histrionicus histrionicus* |
| 63 | | | 长尾鸭 | *Clangula hyemalis* |
| 64 | | | 黑海番鸭 | *Melanitta nigra* |
| 65 | | | 斑脸海番鸭 | *Melanitta fusca* |
| 66 | | | 鹊鸭 | *Bucephala clangula* |
| 67 | | | 红胸秋沙鸭 | *Mergus serrator* |
| 68 | | | 普通秋沙鸭 | *Mergus merganser* |
| 69 | | | 斑头秋沙鸭 | *Mergus albellus* |
| 70 | | | 中华秋沙鸭 | *Mergus squamatus* |
| 71 | 隼形目 | 鹗科 | 鹗 | *Pandion haliaetus* |
| 72 | | 鹰科 | 白尾海雕 | *Haliaeetus albicilla* |
| 73 | | | 玉带海雕 | *Haliaeetus leucoryphus* |
| 74 | | | 虎头海雕 | *Haliaeetus pelagicus* |
| 75 | | | 白头鹞 | *Circus aeruginosus* |
| 76 | | | 白腹鹞 | *Circus spilonotus* |
| 77 | | | 白尾鹞 | *Circus cyaneus* |
| 78 | | | 鹊鹞 | *Circus melanoleucos* |
| 79 | 鹤形目 | 鹤科 | 灰鹤 | *Grus grus* |
| 80 | | | 丹顶鹤 | *Grus japonensis* |
| 81 | | | 白头鹤 | *Grus monacha* |
| 82 | | | 白枕鹤 | *Grus vipio* |
| 83 | | | 白鹤 | *Grus leucogeranus* |
| 84 | | | 沙丘鹤 | *Grus canadensis* |
| 85 | | | 蓑羽鹤 | *Anthropoides virgo* |
| 86 | | 秧鸡科 | 白胸苦恶鸟 | *Amauromis phoenicurus* |
| 87 | | | 普通秧鸡 | *Rallus aquaticus* |
| 88 | | | 小田鸡 | *Porzana pusilla* |
| 89 | | | 斑胁田鸡 | *Porzana paykullii* |
| 90 | | | 红胸田鸡 | *Porzana fusca* |
| 91 | | | 花田鸡 | *Porzana exquisita* |
| 92 | | | 黑水鸡 | *Gallinula chloropus* |
| | | | 骨顶鸡 | *Fulico atra* |

（续）

| 序号 | 目 | 科 | 种 | |
|---|---|---|---|---|
| | | | 中文名 | 拉丁名 |
| 93 | 鸻形目 | 蛎鹬科 | 蛎鹬 | *Haematopus ostralegus* |
| 94 | | 鸻科 | 凤头麦鸡 | *Vanellus vanellus* |
| 95 | | | 灰头麦鸡 | *Vanellus cinereus* |
| 96 | | | 灰斑鸻 | *Pluvialis squatarola* |
| 97 | | | 金斑鸻 | *Pluvialis dominica* |
| 98 | | | 长嘴剑鸻 | *Charadrius placidus* |
| 99 | | | 剑鸻 | *Charadrius hiaticula* |
| 100 | | | 金眶鸻 | *Charadrius dubius* |
| 101 | | | 环颈鸻 | *Charadrius alexandrinus* |
| 102 | | | 蒙古沙鸻 | *Charadrius mongolus* |
| 103 | | | 东方鸻 | *Charadrius veredus* |
| 104 | | | 小嘴鸻 | *Charadrius morinellus* |
| 105 | | 鹬科 | 小杓鹬 | *Numenius minutus* |
| 106 | | | 中杓鹬 | *Numenius phaeopus* |
| 107 | | | 白腰杓鹬 | *Numenius arquata* |
| 108 | | | 大杓鹬 | *Numenius madagascariensis* |
| 109 | | | 黑尾塍鹬 | *Limosa limosa* |
| 110 | | | 斑尾塍鹬 | *Limosa lapponica* |
| 111 | | | 鹤鹬 | *Tringa erythropus* |
| 112 | | | 红脚鹬 | *Tringa totanus* |
| 113 | | | 白腰草鹬 | *Tringa ochropus* |
| 114 | | | 泽鹬 | *Tringa stagnatilis* |
| 115 | | | 青脚鹬 | *Tringa nebularia* |
| 116 | | | 林鹬 | *Tringa glareola* |
| 117 | | | 矶鹬 | *Tringa hypoleucos* |
| 118 | | | 灰尾鹬 | *Heteroscelus brevipes* |
| 119 | | | 翘嘴鹬 | *Xenus cinereus* |
| 120 | | | 半蹼鹬 | *Limnodromus semipalmatus* |
| 121 | | | 翻石鹬 | *Arenaria interpres* |
| 122 | | | 拉氏沙锥 | *Gallinago hardwickii* |
| 123 | | | 孤沙锥 | *Gallinago solitaria* |
| 124 | | | 针尾沙锥 | *Gallinago stenura* |
| 125 | | | 扇尾沙锥 | *Gallinago gallinago* |
| 126 | | | 大沙锥 | *Gallinago megala* |
| 127 | | | 丘鹬 | *Scolopax rusticola* |
| 128 | | | 姬鹬 | *Lymnocryptes minimus* |
| 129 | | | 红腹滨鹬 | *Calidris canutus* |

（续）

| 序号 | 目 | 科 | 种 | |
|---|---|---|---|---|
| | | | 中文名 | 拉丁名 |
| 130 | 鸻形目 | 鹬科 | 长趾滨鹬 | *Calidris subminuta* |
| 131 | | | 红颈滨鹬 | *Calidris ruficollis* |
| 132 | | | 青脚滨鹬 | *Calidris temminckii* |
| 133 | | | 尖尾滨鹬 | *Calidris melanotos* |
| 134 | | | 弯嘴滨鹬 | *Calidris ferruginea* |
| 135 | | | 黑腹滨鹬 | *Calidris alpina* |
| 136 | | | 三趾滨鹬 | *Crocethia alba* |
| 137 | | | 勺嘴鹬 | *Eurynorhynchus pygmeus* |
| 138 | | | 阔嘴鹬 | *Limicola falcinellus* |
| 139 | | | 流苏鹬 | *Philomachus pugnax* |
| 140 | | | 红颈瓣蹼鹬 | *Phalaropus lobatus* |
| 141 | | | 灰瓣蹼鹬 | *Phalaropus fulicarius* |
| 142 | | 反嘴鹬科 | 黑翅长脚鹬 | *Himantopus himantopus* |
| 143 | | | 反嘴鹬 | *Recurvirostra avosetta* |
| 144 | | 燕鸻科 | 普通燕鸻 | *Glareola maldivarum* |
| 145 | | 燕鸥科 | 黑尾鸥 | *Larus crassirostris* |
| 146 | | | 普通海鸥 | *Larus canus* |
| 147 | | | 西伯利亚银鸥 | *Larus argentatus* |
| 148 | | | 灰背鸥 | *Larus schistisagus* |
| 149 | | | 北极鸥 | *Larus hyperboreus* |
| 150 | | | 黑嘴鸥 | *Larus saundersi* |
| 151 | | | 红嘴鸥 | *Larus ridibundus* |
| 152 | | | 小鸥 | *Larus minutus* |
| 153 | | | 三趾鸥 | *Rissa tridactyla* |
| 154 | | | 灰翅浮鸥 | *Chlidonias hybrida* |
| 155 | | | 白翅浮鸥 | *Chlidonias leucoptera* |
| 156 | | | 普通燕鸥 | *Sterna hirundo* |
| 157 | | | 白额燕鸥 | *Sterna albifrons* |
| 158 | | 海雀科 | 斑海雀 | *Brachyramphus marmoratus* |
| 159 | | | 扁嘴海雀 | *Synthliboramphus antiquus* |
| 160 | 鸮形目 | 鸱鸮科 | 毛腿鱼鸮 | *Ketupa blakistoni* |

（续）

| 序号 | 目 | 科 | 种 | |
|---|---|---|---|---|
| | | | 中文名 | 拉丁名 |
| 161 | 佛法僧目 | 翠鸟科 | 普通翠鸟 | *Alcedo atthis* |
| 162 | | | 赤翡翠 | *Halcyon coromanda* |
| 163 | | | 蓝翡翠 | *Halcyon pileata* |
| 164 | 雀形目 | 鹡鸰科 | 黄鹡鸰 | *Motacilla flava* |
| 165 | | | 黄头鹡鸰 | *Motacilla citreola* |
| 166 | | | 灰鹡鸰 | *Motacilla cinerea* |
| 167 | | | 白鹡鸰 | *Motacilla alba* |
| 168 | | | 田鹨 | *Anthus novaseelandiae* |
| 169 | | | 北鹨 | *Anthus gustavi* |
| 170 | | | 红喉鹨 | *Anthus cervinus* |
| 171 | | | 水鹨 | *Anthus spinoletta* |
| 172 | | 河乌科 | 褐河乌 | *Cinclus pallasii* |
| 173 | | 鳾科 | 文须雀 | *Panurus biarmicus* |
| 174 | | | 棕头鸦雀 | *Paradoxornis webbianus* |
| 175 | | | 震旦鸦雀 | *Paradoxornis heudei* |
| 176 | | 莺科 | 斑背大苇莺 | *Megalurus pryeri* |
| 177 | | | 东方大苇莺 | *Acrocephalus orientalis* |
| 178 | | | 远东苇莺 | *Acrocephalus tangorum* |
| 179 | | | 黑眉苇莺 | *Acrocephalus bistrigiceps* |
| 180 | | | 厚嘴苇莺 | *Acrocephalus aedon* |
| 181 | | 山雀科 | 煤山雀 | *Parus ater* |
| 182 | | | 大山雀 | *Parus major* |
| 183 | | | 沼泽山雀 | *Parus palustris* |
| 184 | | | 灰蓝山雀 | *Parus cyanus* |
| 185 | | | 褐头山雀 | *Parus montanus* |
| 186 | | 鹀科 | 栗鹀 | *Emberiza rutila* |
| 187 | | | 黄胸鹀 | *Emberiza aureola* |
| 188 | | | 黄喉鹀 | *Emberiza elegans* |
| 189 | | | 灰头鹀 | *Emberiza spodocephala* |
| 190 | | | 三道眉草鹀 | *Emberiza cioides* |
| 191 | | | 田鹀 | *Emberiza rustica* |
| 192 | | | 黄眉鹀 | *Emberiza chrysophrys* |

（续）

| 序号 | 目 | 科 | 种 | |
|---|---|---|---|---|
| | | | 中文名 | 拉丁名 |
| 193 | 雀形目 | 鹀科 | 白眉鹀 | *Emberiza tristrami* |
| 194 | | | 红颈苇鹀 | *Emberiza yessoensis* |
| 195 | | | 苇鹀 | *Emberiza pollasi* |
| 196 | | | 芦鹀 | *Emberiza schoeniclus* |
| （五）哺乳类 | | | | |
| 1 | 食肉目 | 猫科 | 东北虎 | *Panthera tigris* |
| 2 | | 犬科 | 貉 | *Nyctereutes procyonoides* |
| 3 | | 熊科 | 黑熊 | *Selenarctos thibetanus* |
| 4 | | | 棕熊 | *Ursus arctos* |
| 5 | | 鼬科 | 貂熊 | *Gulo gulo* |
| 6 | | | 水貂 | *Mustela vison* |
| 7 | | | 水獭 | *Lutra lutra* |
| 8 | 啮齿目 | 仓鼠科 | 黑线仓鼠 | *Cricetulus barabensis* |
| 9 | | | 莫氏田鼠 | *Microtus maximowiezii* |
| 10 | | | 东方田鼠 | *Microtus fortis* |
| 11 | | | 麝鼠 | *Ondatra zibethica* |

# 附录3　黑龙江重点调查湿地概况

**1. 黑龙江扎龙国家级自然保护区重点调查湿地**

黑龙江扎龙国家级自然保护区重点调查湿地范围面积22.60万公顷，湿地面积为17.11万公顷，主要湿地类型为草本沼泽湿地，地理坐标为东经124°00′~124°30′，北纬46°55′~47°35′；位于黑龙江省松嫩平原西部乌裕尔河下游，齐齐哈尔市和大庆市交界处，跨4个行政县(富裕县、泰来县、林甸县、杜尔伯特县)。北与富裕县为邻，东与大庆市接壤，南与泰来县毗邻，西与齐齐哈尔市相连。

黑龙江扎龙国家级自然保护区内有湿地及水生植物150多种。主要有芦苇、乌拉薹草、三棱藨草、羊草、香蒲、浮莲、菱角等植物。

脊椎动物33目320科354种。其中，鱼类5目12科5种，两栖类2目2科8种，爬行类2目3科11种，鸟类17目48科266种，哺乳类5目12科5种。

国家重点保护野生动物41种。其中国家Ⅰ级保护野生动物9种，国家Ⅱ级保护野生动物21种。

于1979年建立省级自然保护区，1987年晋升为国家级自然保护区，主管部门省林业厅，管理机构是黑龙江扎龙国家级自然保护区管理局。

主要受到人为活动轻度威胁。

**2. 黑龙江兴凯湖国家级自然保护区重点调查湿地**

黑龙江兴凯湖国家级自然保护区重点调查湿地范围面积26.08万公顷，湿地面积为17.27万公顷，主要湿地类型为永久性淡水湖湿地，地理坐标为东经131°58′30″~133°07′30″，北纬45°01′00″~45°34′30″；位于鸡西市境内，距鸡西市区130公里，行政区划属密山市。

黑龙江兴凯湖国家级自然保护区有湿地及水生植物160多种。主要植物种类有小叶章、修氏薹草、沼柳灌丛等。

脊椎动物34目77科357种。其中，鱼类7目15科68种，两栖类2目4科7种，爬行类2目3科7种，鸟类16目40科234种，哺乳类6目14科39种。

国家重点保护野生动物47种。其中国家Ⅰ级保护野生动物6种，国家Ⅱ级保护野生动物41种。

于1986年建立省级自然保护区，1997年晋升为国家级自然保护区，主管部门是省林业厅，管理机构是黑龙江兴凯湖湿地国家级保护区管理局。

主要受到人为活动轻度威胁。

### 3. 黑龙江三江国家级自然保护区重点调查湿地

黑龙江三江国家级自然保护区重点调查湿地范围面积20.70万公顷，湿地面积为5.58万公顷，主要湿地类型为草本沼泽湿地，地理坐标为东经133°42′52″～134°46′46″，北纬47°26′29″～48°23′08″；位于黑龙江省抚远县和同江市境内。北临黑龙江、东靠乌苏里江，南与饶河县相接，西与同江市接壤。

黑龙江三江国家级自然保护区有高等植物900余种，分属95科，其中有国家保护植物野大豆、黄檗、胡桃楸、水曲柳、小叶章、修氏薹草、芦苇、毛果薹草、漂筏薹草、杞柳等。

脊椎动物33目34科291种。其中，鱼类9目17科77种，两栖类2目2科5种，爬行类2目3科5种，鸟类15目167种，哺乳类5目12科37种。

国家重点保护野生动物53种。其中国家Ⅰ级保护野生动物12种，国家Ⅱ级保护野生动物41种。

于1995年建立省级自然保护区，2000年晋升为国家级自然保护区，主管部门是省林业厅，管理机构是黑龙江三江国家级自然保护区管理局。

主要受到人为活动轻度威胁。

### 4. 黑龙江洪河国家级自然保护区重点调查湿地

黑龙江洪河国家级自然保护区重点调查湿地范围面积2.54万公顷，湿地面积为2.17万公顷，主要湿地类型为草本沼泽湿地，地理坐标为东经133°33′58″～133°47′30″，北纬47°42′01″～47°52′47″；位于同江市和抚远县境内，四周均为洪河农场经营区。

黑龙江洪河国家级自然保护区有高等植物91科521种。主要有小叶章、甜茅、芦苇、乌拉薹草、毛果薹草、漂筏薹草、毛水苏、睡莲、睡菜、水蓼、东北沼委陵菜等。沼泽区岛状林内有黄檗、水曲柳、胡桃楸、野大豆。

脊椎动物123种。其中，鱼类6科16种，两栖类1科1种，鸟类15目32科104种。

于1984年建立省级自然保护区，1996年晋升为国家级自然保护区，管理部门是省环保厅，管理机构是黑龙江洪河国家级自然保护区管理局。

主要受到人为活动轻度威胁。

### 5. 黑龙江宝清七星河国家级自然保护区重点调查湿地

黑龙江宝清七星河国家级自然保护区重点调查湿地范围面积1.97万公顷，湿地面积为1.62万公顷，主要湿地类型为草本沼泽湿地，地理坐标为东经132°00′36″～132°24′59″，北纬46°39′50″～46°48′21″；位于黑龙江省宝清县内。

黑龙江宝清七星河国家级自然保护区主要动物有狍、黄鼬、丹顶鹤、白鹭、野鸭、鲫鱼、鲤鱼、草鱼、林蛙。

黑龙江宝清七星河国家级自然保护区有野生植物420种，主要有小叶章、乌拉薹草、漂筏薹草、芦苇、香蒲、修氏薹草、野大豆、黄耆、蒿类、绣线菊、沼柳、水曲柳等。

于1998年建立省级自然保护区，2000年晋升为国家级自然保护区，主管部门是省林业厅，管理机构是黑龙江七星河国家级自然保护区管理局。

主要受到人为活动轻度威胁。

### 6. 黑龙江八岔岛国家级自然保护区重点调查湿地

黑龙江八岔岛国家级自然保护区重点调查湿地范围面积3.82万公顷，湿地面积为1.39万公顷，主要湿地类型为永久性河流湿地，地理坐标为东经133°40′37″~134°02′09″，北纬48°20′15″~48°20′15″；位于黑龙江省同江市境内，在临江乡至银川乡之间，距同江市150千米。东与抚远县接壤，西与勤得利农场临界，北与俄罗斯隔江相望，南与农场农业区相连。

黑龙江八岔岛国家级自然保护区有野生植物593种，主要有乌拉薹草、漂筏薹草、芦苇、香蒲、小叶章、修氏薹草、野大豆、黄耆、蒿类、柳叶绣线菊等。

脊椎动物33目70科291种。其中，鱼类9目17科77种，爬行类2目3科5种，鸟类15目36科167种，哺乳类5目12科37种。

于2001年建立省级自然保护区，2003年晋升为国家级自然保护区，主管部门是省林业厅，管理机构是黑龙江八岔岛国家级自然保护区管理局。

主要受到人为活动轻度威胁。

### 7. 黑龙江挠力河国家级自然保护区重点调查湿地

黑龙江挠力河国家级自然保护区重点调查湿地范围面积17.81万公顷，湿地面积为7.82万公顷，主要湿地类型为草本沼泽湿地，地理坐标为东经132°28′47″~134°3′5″，北纬46°47′59″~47°21′3″；行政区跨宝清县、富锦市及饶河县。

黑龙江挠力河国家级自然保护区有野生植物400多种。主要有乌拉薹草、漂筏薹草、芦苇、香蒲、小叶章、修氏薹草、野大豆、黄耆、蒿类、柳叶绣线菊、沼柳等。

黑龙江挠力河国家级自然保护区主要兽类有黑熊、狍、狐狸、麝鼠、雪兔、马鹿等；鸟类有大雁、绿头鸭、丹顶鹤、白鹭、苍鹭、罗纹鸭、红嘴鸥、东方白鹳等；鱼类有鲫鱼、鲤鱼、北方泥鳅、鲶鱼、草鱼、狗鱼等；两栖类主要为黑龙江林蛙。

2002年建立国家级自然保护区，主管部门是省林业厅，管理机构是黑龙江挠力河国家级自然保护区管理局。

主要受到人为活动轻度威胁。

## 8. 黑龙江珍宝岛湿地国家级自然保护区重点调查湿地

黑龙江珍宝岛湿地国家级自然保护区重点调查湿地范围面积1.86万公顷，湿地面积为1.86万公顷，主要湿地类型为草本沼泽湿地，地理坐标为东经133°28′44″~133°47′40″，北纬45°52′00″~46°17′23″；位于黑龙江省虎林市东部，地处穆兴低平原的东南部，乌苏里江中上游左岸。北与东方红林业局接壤，南包含月牙泡在内，东临乌苏里江国境线与俄罗斯接壤，西为虎林市的珍宝岛乡和虎头镇。行政区划上分别隶属于虎头镇和珍宝岛乡，主要为虎头林场和小木河林场的施业区。

黑龙江珍宝岛湿地国家级自然保护区共有脊椎动物289种，隶属于34目87科。其中鸟类171种，隶属于16目43科；鱼类61种，隶属于2纲7目14科；兽类41种，隶属于6目15科；两栖类8种；爬行类8种。

于2002年建立省级自然保护区，2004年晋升为国家级自然保护区，主管部门是省林业厅，管理机构是黑龙江珍宝岛国家级自然保护区管理局。

主要受到人为活动轻度威胁。

### 9. 黑龙江乌伊岭国家级自然保护区重点调查湿地

黑龙江乌伊岭国家级自然保护区重点调查湿地范围面积4.46万公顷，湿地面积为0.69万公顷，主要湿地类型为草本沼泽湿地和森林沼泽湿地，地理坐标为东经129°00′~129°30′，北纬48°33′~48°50′；位于黑龙江省伊春市乌伊岭林业局，小兴安岭脊部，地处小兴安岭向大兴安岭的过滤地带。

黑龙江乌伊岭国家级自然保护区共分布有生物物种2065种，区内有鸟类17目42科241种，兽类6目16科51种，两栖类2目5科9种，爬行类2目3科12种，昆虫8目51科330种。

黑龙江乌伊岭国家级自然保护区在植物区系构成上属长白植物区系，区内高等植物147科396属895种，包括苔类植物21科30属36种，藓类植物23科56属85种，蕨类植物11科16属30种，裸子植物1科4属5种，被子植物91科290属739种，真菌23目61科429种。保护区植物优势科主要有松科、杨柳科、桦木科、毛茛科、蔷薇科、豆科、伞形科、禾本科、莎草科、菊科、桔梗科。

于2000年建立省级自然保护区，2007年晋升为国家级自然保护区，管理部门是省森工总局，管理机构是成立了黑龙江乌伊岭国家级自然保护区管理局。

主要受到人为活动轻度威胁。

### 10. 黑龙江东方红湿地国家级自然保护区重点调查湿地

黑龙江东方红湿地国家级自然保护区重点调查湿地范围面积5.07万公顷，湿地面积为2.89万公顷，主要湿地类型包括河流湿地、沼泽湿地2个湿地类，永久性河流、草本沼泽2个湿地型，地理坐标为东经133°32′16″~133°56′50″，北纬46°12′58″~46°28′8″；位于黑龙江省虎林市，所有权及使用权隶属于东方红林业局。

黑龙江东方红湿地国家级自然保护区属长白植物区系，但除长白植物区系外，还具有世界广布种、西伯利亚植物区系、蒙古植物区系和华北植物区系成分相互交错的植被特点，植物区系组

成极为丰富，种属分布较为广泛。湿地自然保护区内共有植物728种，其中苔藓植物12科17种，蕨类植物9科24种，裸子植物1科6种，被子植物90科681种。保护区种类多、分布广的优势植物主要有菊科、蔷薇科、毛茛科、杨柳科以及禾本科等。保护区的植被可以分为森林、灌丛、草甸、沼泽及草塘(水生植被)等五大类型，它们通常以草塘为中心，按草塘→沼泽→草甸→灌丛→森林的顺序，以水为主导因子，随地形的缓慢起伏而呈镶嵌式分布。

黑龙江东方红湿地自然保护区动物区系属古北界、东北亚界、东北区、长白山亚区、东南山地省、完达山州。保护区以湿地景观为主，还拥有大面积的针阔混交林和落叶阔叶林，野生动物资源极其丰富。这里生存着脊椎动物351种，其中鱼类68种，两栖类7种，爬行类7种，鸟类216种，兽类53种。保护区分布国家Ⅰ级保护动物7种，国家Ⅱ级保护动物36种。

于2001年建立省级自然保护区，2009年晋升为国家级自然保护区，主管部门是省森工总局，管理机构是黑龙江东方红湿地国家级自然保护区管理局。

主要受到人为活动轻度威胁。

**11. 黑龙江大沾河湿地国家级自然保护区重点调查湿地**

黑龙江大沾河湿地国家级自然保护区重点调查湿地范围面积11.28万公顷，湿地面积为11.28万公顷，主要湿地类型为草本沼泽湿地，地理坐标为东经127°57′54″~128°27′24″，北纬48°01′23″~48°46′45″；位于黑龙江省北部小兴安岭山脉北麓的大沾河上游，东与红星、上甘岭、友好林业局接壤，南与绥棱林业局毗邻，西以通北林业局为界。

湿地高等植物162科906种。国家重点保护野生植物7种，其中国家Ⅱ级保护野生植物7种。

脊椎动物纲目科304种。其中，鱼类6目12科37种，两栖类2目4科6种，爬行类3目4科8种，鸟类16目39科203种，哺乳类6目15科50种。

国家重点保护野生动物48种。包括湿地鸟类38种，其中国家Ⅰ级保护鸟类5种，国家Ⅱ级保护鸟类33种。其他国家重点保护野生动物10种，其中国家Ⅰ级保护野生动物2种，国家Ⅱ级保护野生动物8种。

主管部门是省森工总局，管理机构是黑龙江大沾河湿地国家级自然保护区管理局。

主要受到人类生产活动轻度威胁。

### 12. 黑龙江红星湿地国家级自然保护区重点调查湿地

黑龙江红星湿地国家级自然保护区重点调查湿地范围面积3.36万公顷，湿地面积为3.36万公顷，主要湿地类型为草本沼泽湿地，地理坐标为东经128°21′40″~128°53′30″，北纬48°41′20″~49°11′00″；位于黑龙江省东北部，小兴安岭北坡红星林业局北部库斯特林场和二皮河经营所施业区内。东侧以库尔滨河为界与红星林业局毗邻，南与上甘岭林业局分界，西北与逊克县接壤。

黑龙江红星湿地国家级自然保护区在植物区系属泛北极植物区，中国—日本森林植物区、长白植物亚区，小兴安岭北部区。共有植物885种，其中苔藓植物49科197种；蕨类植物11科38种；种子植物88科650种。

黑龙江红星湿地国家级自然保护区动物区系属古北界、东北区、长白山亚区。代表动物有马鹿、野猪、花尾榛鸡、太平鸟、中国林蛙等，区内生存的脊椎动物有340种，其中鱼类共有11科38种；两栖类共有2目5科9种；爬行类共有2目3科10种；鸟类233种，其中国家Ⅰ级保护鸟类6种，国家Ⅱ级保护鸟类35种；兽类6目16科50种，其中国家Ⅰ级保护兽类只有紫貂和原麝2种，国家Ⅱ级保护兽类有8种。昆虫8目265种，土壤动物16目36科59种。另外，保护区拥有CITES附录Ⅰ中的6种，附录Ⅱ中的6种；《中日候鸟保护协定》中的鸟类165种。

于2001年建立省级自然保护区，2008年晋升为国家级自然保护区，主管部门是省森工总局，管理机构是黑龙江红星湿地国家级自然保护区管理局。

主要受到人类生产活动轻度威胁。

### 13. 黑龙江碧水中华秋沙鸭湿地自然保护区重点调查湿地

黑龙江碧水中华秋沙鸭湿地自然保护区重点调查湿地范围面积0.25万公顷，湿地面积为157.98公顷，主要湿地类型为河流湿地，地理坐标为东经128°50′34″~128°58′35″，北纬47°04′52″~47°08′40″；位于我国东北东部山地小兴安岭山脉的东南段—永翠河流域的中段。行政区划位于黑龙江省伊春市带岭区境内。

黑龙江碧水中华秋沙鸭湿地自然保护区在植物区系构成上属长白植物区系。除地带性的红松阔叶混交林外，在低湿谷地尚有成片发育的、非常稳定的隐域性植被—兴安落叶松。保护区的木本植物优势科主要有杨柳科、蔷薇科、桦木科、忍冬科、松科以及槭树科，其中松科、桦木科、

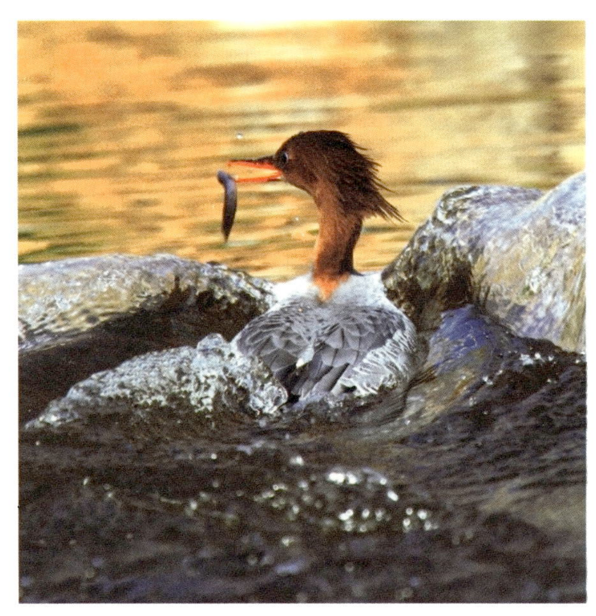

杨柳科树种构成了森林群落的主林层，而以蔷薇科、忍冬科、虎耳草科和榛属（桦木科）构成下木层的主要成分，以菊科、蔷薇科、毛茛科、禾本科、莎草科以及豆科等科的草本植物，构成了保护区的优势草本植被。由于地势起伏较小，各种植被类型呈现出一定的水平分布规律，垂直分布现象不明显。保护区的植被可以分为森林、灌丛、草甸、沼泽及草塘（水生植被）等五大类型，它们通常以草塘为中心，按草塘→沼泽→草甸→灌丛→森林的顺序，以水为主导因子，随地形的缓慢起伏而呈镶嵌式分布。森林是保护区的主导植被，占总面积的86.30%，其次是沼泽（面积约占总面积的7.32%），草塘植被只占很小的比例。

脊椎动物33目82科295种。其中，鱼类6目9科27种，两栖类2目4科8种，爬行类2目3科7种，鸟类17目46科210种，哺乳类6目16科43种。

国家重点保护野生动物中，国家Ⅱ级保护野生动物33种。在国家重点保护野生动物中，湿地鸟类37种，其中国家Ⅰ级保护鸟类6种，国家Ⅱ级保护鸟类31种。

主管部门是省森工总局，管理机构是黑龙江碧水中华秋沙鸭湿地自然保护区管理局。

主要受到人为活动轻微威胁。

**14. 黑龙江呼中国家级自然保护区重点调查湿地**

黑龙江呼中国家级自然保护区重点调查湿地范围面积16.72万公顷，湿地面积为2.96万公顷，主要湿地类型为森林沼泽湿地，地理坐标为东经122°44′29.8″～123°15′38.5″，北纬51°18′00.5″～51°56′00″；位于呼中林业局的西南部。

黑龙江呼中国家级自然保护区植物种类248种，其中苔藓植物13种，蕨类植物7种，裸子植物5种，被子植物223种。

黑龙江呼中国家级自然保护区野生动物174种，其中鸟类131种，兽类33种，两栖爬行类10种。

主管部门是大兴安岭林业集团公司，管理机构是黑龙江呼中国家级自然保护区管理局。

主要受到人为活动及雷击山火轻微威胁。

**15. 黑龙江双河国家级自然保护区重点调查湿地**

黑龙江双河国家级自然保护区重点调查湿地范围面积8.88万公顷，湿地面积为1.30万公顷，主要湿地类型为森林湿地，地理坐标为东经124°53′21.7″～125°32′02.2″，北纬52°56′51″～53°11′46.2″；位于塔河县内。

黑龙江双河国家级自然保护区植物种类有兴安落叶松、白桦、樟子松、山杨、赤杨、柴桦、杜鹃、小叶章、薹草等几百种。

黑龙江双河国家级自然保护区主要野生动物有狍、野猪、水獭、松鼠、花尾榛鸡等种类。

于2005年建立省级自然保护区，2008年晋升为国家级自然保护区，主管部门是大兴安岭林业集团公司，管理机构是黑龙江双河国家级自然保护区管理局。

主要受到人为活动轻微威胁。

#### 16. 黑龙江五大连池国家级自然保护区重点调查湿地

黑龙江五大连池国家级自然保护区重点调查湿地范围面积1.03万公顷，湿地面积为1.03万公顷，主要湿地类型为草本沼泽湿地，地理坐标为东经126°08′13″～126°15′34″，北纬48°08′22″～48°09′15″；位于黑龙江省五大连池市北部。北部与五大连池市朝阳林场接壤，西部接讷河市，东部与引龙河农场相望，南部与五大连池市农业区相连。

黑龙江五大连池国家级自然保护区主要湿地植物种类有芦苇、小叶章、修氏薹草、蒿类、柳叶绣线菊、沼柳、杨类等。

黑龙江五大连池国家级自然保护区主要鱼类有葛氏鲈塘鳢、鲤鱼、鲶鱼、沼泽公鱼；两栖类有中华蟾蜍、黑龙江林蛙、黑斑侧褶蛙、东北雨蛙等；爬行类有黑龙江草蜥、黑眉蝮等；鸟类有绿头鸭、鸳鸯、红隼、雀鹞、苍鹰、鹞鹰、雀鹰、红脚隼；兽类有狍、赤狐、野猪、黄鼬、伶鼬等。

主管部门是国土部门，管理机构是黑龙江五大连池国家级自然保护区管理局。

主要受到人为活动轻度威胁。

#### 17. 黑龙江三环泡自然保护区重点调查湿地

黑龙江三环泡自然保护区重点调查湿地范围面积2.04万公顷，湿地面积为2.04万公顷，主要湿地类型为草本沼泽湿地，地理坐标为东经132°12′18″～132°57′25″，北纬46°45′08″～46°51′41″；位于黑龙江省富锦市东南部，地处七星河中下游。行政隶属佳木斯市富锦市。西与友谊县相邻，东至挠力河，南与宝清县国家级七星河湿地自然保护区接壤，北与农业区相连。

黑龙江三环泡自然保护区共有维管束植物78科236属415种，其中苔藓植物3种，蕨类植物

4种，种子植物408种。

脊椎动物6纲34目70科301种。其中，鱼类6目11科42种，两栖类2目4科6种，爬行类2目3科5种，鸟类17目40科217种，哺乳类6目11科30种。

于2002年建立省级自然保护区，主管部门是省林业厅，管理机构是抚黑龙江省三环泡湿地自然保护区管理局。

主要受到人为活动轻度威胁。

### 18. 黑龙江黑瞎子岛自然保护区重点调查湿地

黑龙江黑瞎子岛自然保护区重点调查湿地范围面积3.02万公顷，湿地面积为2.33万公顷，主要湿地类型为草本沼泽湿地，地理坐标为东经134°18′34″～134°46′07″，北纬48°15′26″～48°25′39″；位于黑龙江省抚远县内。

黑龙江黑瞎子岛自然保护区有野生植物385种。主要有乌拉薹草、漂筏薹草、芦苇、香蒲、小叶章、修氏薹草、蒿类、柳叶绣线菊、沼柳、水曲柳、黄檗、白桦、山杨、蒙古栎等。

脊椎动物33目70科291种。其中，鱼类9目17科77种，两栖类2目2科5种，爬行类2目3科5种，鸟类15目36科167种，哺乳类5目12科37种。

于2009年建立省级自然保护区，主管部门是省林业厅，管理机构是抚远县林业局。

主要受到人为活动轻度威胁。

### 19. 黑龙江绥滨两江湿地自然保护区重点调查湿地

黑龙江绥滨两江湿地自然保护区重点调查湿地范围面积5.59万公顷，湿地面积为3.60万公顷，主要湿地类型为永久性河流湿地，地理坐标为东经131°08′09″～132°30′53″，北纬47°10′41″～47°45′29″；位于绥滨县内。

黑龙江绥滨两江湿地自然保护区有野生植物374种。主要有乌拉薹草、漂筏薹草、芦苇、香蒲、小叶章、修氏薹草、蒿类、柳叶绣线菊、沼柳等。

脊椎动物374种。其中，鱼类9目17科69种，两栖类2目2科5种，爬行类2目3科5种，鸟类15目32科147种，哺乳类5目12科37种。

于2007年建立省级自然保护区，主管部门是省林业厅，管理机构是绥滨县两江湿地自然保护区管理局。

主要受到人为活动轻度威胁。

### 20. 黑龙江富锦沿江湿地自然保护区重点调查湿地

黑龙江富锦沿江湿地自然保护区重点调查湿地范围面积2.70万公顷，湿地面积为1.48万公顷，主要湿地类型为永久性河流湿地，地理坐标为东经131°25′42″～132°29′14″，北纬47°12′29″～47°27′47″；位于富锦市境内。

黑龙江富锦沿江湿地自然保护区有野生维管束植物378种。主要有乌拉薹草、漂筏薹草、芦苇、香蒲、小叶章、修氏薹草、柳叶绣线菊、沼柳等。

黑龙江富锦沿江湿地自然保护区共有兽类6目11科24种10科41种。

于2002年建立省级自然保护区，主管部门是省林业厅，管理机构是富锦市沿江湿地自然保护区管理局。

主要受到人为活动轻度威胁。

## 21. 黑龙江哈拉海湿地自然保护区重点调查湿地

黑龙江哈拉海湿地自然保护区重点调查湿地范围面积1.71万公顷，湿地面积为1.47万公顷，主要湿地类型为草本沼泽湿地，地理坐标为东经123°20′48″～123°32′23″，北纬47°27′52″～47°37′52″；位于龙江县内。

黑龙江哈拉海湿地自然保护区主要植物有羊草及芦苇等。

黑龙江哈拉海湿地自然保护区主要鱼类有鲫鱼、葛氏鲈塘鳢、鲶鱼、鲤鱼等；两栖类有中华蟾蜍、东北小鲵、东北雨蛙等；鸟类有丹顶鹤、凤头麦鸡、中华秋沙鸭等；兽类有东方田鼠、东北兔、赤狐、狼等。

于2007年建立省级自然保护区，主管部门是省林业厅，管理机构是黑龙江哈拉海湿地自然保护区管理局。

主要受到人为活动轻度威胁。

## 22. 黑龙江北安自然保护区重点调查湿地

黑龙江北安自然保护区重点调查湿地范围面积3.55万公顷，湿地面积为0.85万公顷，主要湿地类型为草本沼泽湿地，地理坐标为东经126°44′21″～127°09′32″，北纬48°08′37″～48°21′25″；位于北安市东部。

黑龙江北安自然保护区主要湿地植物种类有乌拉薹草、漂筏薹草、芦苇、小叶章、修氏薹草、蒿类、沼柳、钻天柳等。

黑龙江北安自然保护区主要动物有73科312种，其中鱼类有葛氏鲈塘鳢、鲤鱼、鲶鱼等；两栖类有中华蟾蜍、黑龙江林蛙、黑斑侧褶蛙、东北雨蛙等；爬行类有黑龙江草蜥、黑眉蝮等；鸟类有绿头鸭、鸳鸯、红隼、雀鹞、苍鹰、鹞鹰、雀鹰、红脚隼；兽类有狍、赤狐、野猪、黄鼬、伶鼬等。

于2006年建立省级自然保护区，主管部门是省林业厅，管理机构是黑龙江北安湿地自然保护区管理局。

主要受到人为活动轻度威胁。

## 23. 黑龙江明水湿地自然保护区重点调查湿地

黑龙江明水湿地自然保护区重点调查湿地范围面积4.60万公顷，湿地面积为3.30万公顷，主要湿地类型为草本沼泽湿地，地理坐标为东经125°18′32″～125°36′12″，北纬47°01′52″～47°17′22″；位于绥化市明水县境内。

黑龙江明水湿地自然保护区有植物77科533种，其中藓类植物有4科6种，蕨类植物3科4种，裸子植物1科1种，被子植物69科522种。其中国家重点保护植物有野大豆和黄耆。

脊椎动物31目73科301种。其中，鱼类5目7科28种，两栖类2目4科6种，爬行类2目

4科6种，鸟类16目45科229种，哺乳6目13科32种。

国家重点保护野生动物中，湿地鸟类37种，其中国家Ⅰ级保护鸟类5种，国家Ⅱ级保护鸟类32种。

于2007年建立省级自然保护区，主管部门是黑龙江省林业厅，管理机构是黑龙江明水湿地自然保护区管理局。

主要受到人为活动轻度威胁。

### 24. 黑龙江集贤安邦河自然保护区重点调查湿地

黑龙江集贤安邦河自然保护区重点调查湿地范围面积1.08万公顷，湿地面积为0.11万公顷，主要湿地类型为草本沼泽，地理坐标为东经131°05′58″～131°23′46″，北纬46°41′19″～47°01′26″；位于集贤县内。

黑龙江集贤安邦河自然保护区高等植物有300多种。主要有乌拉薹草、漂筏薹草、芦苇、香蒲、小叶章、修氏薹草、野大豆、黄耆、蒿类、柳叶秀线菊等。

黑龙江集贤安邦河自然保护区内鱼类有鲫鱼、鲤鱼、泥鳅、蛇鱼、鲈搪；两栖类有东北林蛙、黑龙江林蛙等；鸟类有灰雁、白鹭、白琵鹭、白枕鹤、白骨顶、鹈鹕等；兽类有黄鼬、东方田鼠、麝鼠、赤狐、东北兔、豹猫。

于2001年建立省级自然保护区，主管部门是省林业厅，管理机构是黑龙江安邦河湿地自然保护区管理局。

主要受到人为活动轻度威胁。

### 25. 黑龙江东升自然保护区重点调查湿地

黑龙江东升自然保护区重点调查湿地范围面积1.89万公顷，湿地面积为0.86万公顷，主要湿地类型为草本沼泽湿地，地理坐标为东经132°16′34″～132°45′21″，北纬46°51′20″～46°20′06″；位于宝清县东北部，地处挠力河、哈蟆通河和小挠力河交汇处。北与富锦市隔河相望，东西与挠力河国家级湿地自然保护区相接。

黑龙江东升自然保护区有高等植物404种，分属69科。代表性科有毛茛科、菊科、蓼科、莎草科、禾本科、石竹科、十字花科、豆科、玄参科和唇形科等。

黑龙江东升自然保护区有鸟类185种，主要有丹顶鹤、大天鹅、东方白鹳、雁鸭、鸻鹬、白鹭等；鱼类52种隶属于10科主要有鲤、鲫、泥鳅及鲶等。

于2004年建立省级自然保护区，主管部门是黑龙江省林业厅，管理机构是黑龙江东升湿地自然保护区管理局。

主要受到人为活动轻度威胁。

### 26. 黑龙江大佳河自然保护区重点调查湿地

黑龙江大佳河自然保护区重点调查湿地范围面积1.01万公顷，湿地面积为1.01万公顷，主要湿地类型为草本沼泽湿地，地理坐标为东经133°07′30″～134°02′10″，北纬46°54′33″～47°16′45″；位于饶河县内。

黑龙江大佳河自然保护区有高等植物497种。其中蕨类植物9科10属13种；被子植物92科256属484种。

黑龙江大佳河自然保护区有鱼类7目16科49属56种，两栖类2目4科8种，鸟类251种。

于2004年建立省级自然保护区，主管部门是黑龙江省林业厅，管理机构是黑龙江大佳河湿地自然保护区管理局。

主要受到人为活动轻度威胁。

### 27. 黑龙江讷谟尔河湿地自然保护区重点调查湿地

黑龙江讷谟尔河湿地自然保护区重点调查湿地范围面积5.61万公顷，湿地面积为1.96万公顷，主要湿地类型为沼泽化草甸湿地，地理坐标为东经124°30′55″～125°52′05″，北纬48°14′22″～48°33′43″；位于讷河市内。

黑龙江讷谟尔河湿地自然保护区高等植物有82科201属393种。其中蕨类植物3科6属9种；裸子植物1科2属3种；被子植物有83科213属381种。

黑龙江讷谟尔河湿地自然保护区鱼类有鲫鱼、葛氏鲈塘鳢、鲶鱼、鲤鱼等；两栖类有中华蟾蜍、东北小鲵、东北雨蛙等；爬行类有中华鳖、蜥蜴；鸟类有中华秋莎鸭、灰鹤、环颈雉等；兽类有东方田鼠、东北兔、赤狐等。

于2007年建立省级自然保护区，主管部门是黑龙江省林业厅，管理机构是黑龙江讷谟尔河湿地自然保护区管理局。

主要受到人为活动轻度威胁。

### 28. 黑龙江乌裕尔河自然保护区重点调查湿地

黑龙江乌裕尔河自然保护区重点调查湿地范围面积7.25万公顷，湿地面积为2.99万公顷，主要湿地类型为草本沼泽湿地，地理坐标为东经124°10′19″～125°02′45″，北纬47°30′00″～47°50′35″；位于齐齐哈尔市富裕县内。

黑龙江乌裕尔河自然保护区，植物种类有87科221属401种。蕨类植物3科6属13种；裸子植物1科2属3种；被子植物有83科213属385种。

黑龙江乌裕尔河自然保护区鱼类有鲫鱼、葛氏鲈塘鳢、鲶鱼、鲤鱼；两栖类有中华蟾蜍、东北小鲵、东北雨蛙；爬行类有鳖；兽类有东方田鼠、东北兔、赤狐、狼等；鸟类有灰鹤、白鹭、绿头鸭、豆燕等。

于1990年建立省级自然保护区，主管部门黑龙江省林业厅，管理机构是黑龙江乌裕尔河湿地自然保护区管理处。

主要受到人为活动轻度威胁。

### 29. 黑龙江乌裕尔河—双阳河自然保护区重点调查湿地

黑龙江乌裕尔河—双阳河自然保护区重点调查湿地范围面积2.74万公顷，湿地面积为1.75万公顷，主要湿地类型为草本沼泽湿地，地理坐标为东经124°52′25″~125°42′52″，北纬47°11′45″~47°56′31″；位于齐齐哈尔市依安县内。

黑龙江乌裕尔河—双阳河自然保护区主要植物种类有小叶章、芦苇及羊草等。

鱼类有鲫鱼、葛氏鲈塘鳢、鲶鱼、鲤鱼等；两栖类有中华蟾蜍、东北小鲵、东北雨蛙等；爬行类有鳖；兽类有东方田鼠、草兔、赤狐、黄鼬等；鸟类有黑水鸡、白额雁、红嘴鸥、灰鹤、白鹭、普通燕鸥等。

于2007年建立省级自然保护区，主管部门是黑龙江省林业厅，管理机构是黑龙江乌裕尔河—双阳河湿地自然保护区管理局。

主要受到人为活动轻度威胁。

### 30. 黑龙江勤得利鲟鳇鱼自然保护区重点调查湿地

黑龙江勤得利鲟鳇鱼自然保护区重点调查湿地范围面积1.26万公顷，湿地面积为1.26万公顷，主要湿地类型为永久性河流湿地，地理坐标为东经132°57′12″~133°33′46″，北纬47°58′31″~48°07′39″；位于同江市境内。

黑龙江勤得利鲟鳇鱼自然保护区有野生植物586种，主要有乌拉薹草、漂筏薹草、芦苇、香蒲、小叶章、修氏薹草、野大豆、黄耆、蒿类、柳叶绣线菊、沼柳等。

黑龙江勤得利鲟鳇鱼自然保护区共有兽类5目12科29种，鸟类15目35科168种，爬行类2目3科5种，两栖类2目2科5种，鱼类9目17科68种，国家Ⅰ级保护野生动物有东方白鹳、丹顶鹤，白尾海雕等，国家Ⅱ级保护野生动物有大天鹅、白枕鹤、施氏鲟、达氏鳇等。

于1998年建立省级自然保护区，主管部门是环保厅。管理机构是黑龙江勤得利鲟鳇鱼湿地自然保护区管理局。

主要受到人为活动轻度威胁。

### 31. 黑龙江乌苏里江自然保护区重点调查湿地

黑龙江乌苏里江自然保护区重点调查湿地范围面积4.20万公顷，湿地面积为0.04万公顷，主要湿地类型为河流湿地，地理坐标为东经134°09′18″~134°32′09″，北纬47°29′38″~47°50′47″；位于抚远县859农场境内。

黑龙江乌苏里江自然保护区有高等植物30科122种。主要有毛果薹草、漂筏薹草，毛水苏、水蓼、水木贼、狭叶甜茅、沼薹草、球尾花、荇菜、大花马先蒿、燕子花、驴蹄菜、小叶章、芦苇、乌拉薹草等。

黑龙江乌苏里江自然保护区鸟类有 5 目 12 科 34 种；兽类有麝鼠和水獭；两栖类有黑龙江林蛙；鱼类有主要有鲤、鲫、链、泥鳅、鲶鱼等。

于 2001 年建立省级自然保护区，主管部门是环保厅，管理机构是黑龙江乌苏里江湿地自然保护区管理局。

主要受到人为开垦较重威胁。

### 32. 黑龙江虎口湿地自然保护区重点调查湿地

黑龙江虎口湿地自然保护区重点调查湿地范围面积 1.47 万公顷，湿地面积为 1.04 万公顷，主要湿地类型为草本沼泽湿地，地理坐标为东经 133°16′23″～133°28′51″，北纬 45°31′54″～45°49′31″；位于黑龙江省虎林市东部。

黑龙江虎口湿地自然保护区维管束植物有 130 科 600 种。主要有毛果薹草、漂筏薹草、毛水苏、水蓼、水木贼、燕驴蹄菜、小叶章、芦苇、乌拉薹草、野大豆等。

黑龙江虎口湿地自然保护区共有脊椎动物 289 种，隶属于 34 目 82 科。其中鸟类 171 种，隶属于 16 目 43 科；鱼类 61 种，隶属于 2 纲 7 目 14 科；兽类 41 种，隶属于 6 目 15 科；两栖类爬行类各为 8 种。

于 1997 年建立省级自然保护区，主管部门是环保厅，管理机构是黑龙江虎口湿地自然保护区管理局。

主要受到人为活动轻度威胁。

### 33. 黑龙江孙吴红旗湿地自然保护区重点调查湿地

黑龙江孙吴红旗湿地自然保护区重点调查湿地范围面积 2.14 万公顷，湿地面积为 0.76 万公顷，主要湿地类型为沼泽化草甸湿地，地理坐标为东经 126°56′22″～127°01′36″，北纬 49°18′34″～49°21′22″；位于孙吴县西部。

黑龙江孙吴红旗湿地自然保护区主要湿地植物种类有乌拉薹草、芦苇、小叶章、修氏薹草、蒿类、柳叶绣线菊、沼柳等。

黑龙江孙吴红旗湿地自然保护区鱼类有葛氏鲈塘鳢、鲤鱼、鲶鱼、沼泽公鱼等；两栖类有中华蟾蜍、黑龙江林蛙、黑斑侧褶蛙、东北雨蛙等；爬行类有黑龙江草蜥、黑眉蝮等；鸟类有绿头鸭、鸳鸯、红隼、雀鹞、苍鹰、鹞鹰、雀鹰、红脚隼；兽类有狍、赤狐、野猪、黄鼬、伶鼬等。

于2006年建立省级自然保护区，主管部门是省林业厅，管理机构是黑龙江孙吴红旗湿地自然保护区管理局。

主要受到人为活动轻度威胁。

### 34. 黑龙江五大连池山口自然保护区重点调查湿地

黑龙江五大连池山口自然保护区重点调查湿地范围面积5.95万公顷，湿地面积为1.43万公顷，主要湿地类型为草本沼泽湿地，地理坐标为东经126°42′33″~127°15′12″，北纬48°18′27″~48°08′37″；位于五大连池市东南、北安市北部。北与五大连池市二龙山林场接壤；西接五大连池市二龙山农场；东与通北林业局相望，南与北安市长水河农场相连。

主要野生植物有芦苇、小叶章、修氏薹草、蒿类、柳叶绣线菊、沼柳、钻天柳、紫椴、黄檗、五味子、刺五加、野大豆等。

黑龙江五大连池山口自然保护区鱼类有葛氏鲈塘鳢、鲤鱼、鲶鱼、沼泽公鱼；两栖类有中华蟾蜍、黑龙江林蛙、黑斑侧褶蛙、东北雨蛙等；爬行类有黑龙江草蜥、黑眉蝮等；鸟类有绿头鸭、鸳鸯、红隼、雀鹞、苍鹰、鹞鹰、雀鹰、红脚隼；兽类有狍、赤狐、野猪、黄鼬、伶鼬等。

于2006年建立省级自然保护区，主管部门是省水利厅，管理机构是黑龙江五大连池山口湿地自然保护区管理局。

主要受到人为活动轻度威胁。

### 35. 黑龙江平阳河湿地自然保护区重点调查湿地

黑龙江平阳河湿地自然保护区重点调查湿地范围面积4.51万公顷，湿地面积为0.68万公顷，主要湿地类型为草本湿地，地理坐标为东经129°10′38″~129°37′24″，北纬49°26′14″~49°10′59″；位于嘉荫县境内。

黑龙江平阳河湿地自然保护区主要湿地植物有修氏薹草、小叶章、乌拉薹草、三棱薹草、赤杨、山槐、白桦、稠李、榆、柳等。

黑龙江平阳河湿地自然保护区鸟类有丹顶鹤、大天鹅、中华秋沙鸭、苍鹭；兽类有黑熊、狍、野猪、马鹿、水獭、猞猁；鱼类有细鳞鱼、狗鱼、湖鲂；两栖类有黑龙江林蛙；爬行类动物有乌苏里蝮。

于2008年建立省级自然保护区，主管部门是黑龙江省林业厅，管理机构是黑龙江嘉荫县平阳河湿地自然保护区管理局。

主要受到人为活动轻度威胁。

### 36. 黑龙江大庆龙凤湿地自然保护区重点调查湿地

黑龙江大庆龙凤湿地自然保护区重点调查湿地范围面积0.51万公顷，湿地面积为0.30万公顷，主要湿地类型为草本沼泽湿地，地理坐标为东经125°08′9″~125°14′7″，北纬46°27′057″~46°32′03″；位于黑龙江省大庆市龙凤区境内，距大市中心仅8公里，是一处位于城区中心的省级

湿地自然保护区。

黑龙江大庆龙凤湿地自然保护区主要有芦苇、毛果薹草、驴蹄草、黑三棱、泽泻、香蒲、小叶章、薹草、狼尾草、箭头唐松草、地榆、野古草、鹅绒委陵菜、旋覆花、北车前、狗尾草、穗叶狐尾藻、龙须眼子菜、荇菜、槐叶苹、狭叶香蒲等。

黑龙江大庆龙凤湿地自然保护区有国家Ⅰ级保护鸟类5种，国家Ⅱ级保护鸟类5种，省重点保护鸟类19种，代表性种类有罗纹鸭、青头潜鸭。

于2003年建立省级自然保护区，主管部门是城市管理委员会。管理机构为黑龙江大庆龙凤湿地自然保护区管理局。

主要受到人为活动轻度威胁。

### 37. 黑龙江肇东沿江湿地自然保护区重点调查湿地

黑龙江肇东沿江湿地自然保护区重点调查湿地范围面积5.44万公顷，湿地面积为4.18万公顷，主要湿地类型为泛洪平原湿地，地理坐标为东经125°45′30″~126°20′30″，北纬45°30′20″~45°52′20″；位于黑龙江省肇东市境内。

黑龙江肇东沿江湿地自然保护区有野生植物477种，隶属于70科214属。以禾本科、莎草科、菊科的种类居多，有国家重点保护植物野大豆的分布。

黑龙江肇东沿江湿地自然保护区有动物62种，国家级保护鸟类31种，其中国家Ⅰ级保护鸟类有丹顶鹤、白头鹤和大鸨3种，国家Ⅱ级保护鸟类28种，有大天鹅、白额雁、鸳鸯、鹗、白枕鹤等。

于2003年建立省级自然保护区，主管部门是黑龙江省林业厅，管理机构是黑龙江肇东沿江湿地自然保护区管理处。

主要受到人为活动轻度威胁。

### 38. 黑龙江肇源沿江湿地自然保护区重点调查湿地

黑龙江肇源沿江湿地自然保护区重点调查湿地范围面积5.33万公顷，湿地面积为3.30万公顷，主要湿地类型为泛洪平原湿地，地理坐标为东经123°45′～126°，北纬45°23′～46°30′；位于肇源县内。

黑龙江肇源沿江湿地自然保护区有高等植物69科422种，主要植物有芦苇、薹草、小叶章、羊草、星星草、野大豆等。

黑龙江肇源沿江湿地自然保护区鱼类有6目9科45种，鸟类主要有鸬鹚、鸿雁、黑水鸡、骨顶鸡、野鸭、鹤类、苍鹭、草鹭、白琵鹭、鸸、鸥类等。

于2008年建立省级自然保护区，主管部门是黑龙江省林业厅，管理机构是黑龙江肇源县湿地管理委员会。

主要受到人为活动轻度威胁。

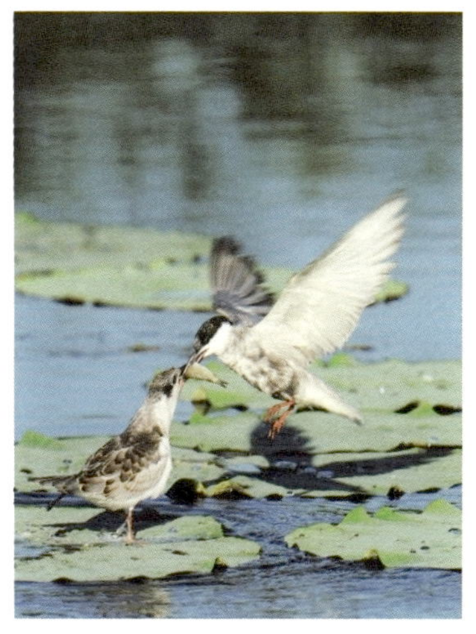

### 39. 黑龙江望奎西洼荒湿地自然保护区重点调查湿地

黑龙江望奎西洼荒湿地自然保护区重点调查湿地范围面积0.82万公顷，湿地面积为0.52万公顷，主要湿地类型为草本沼泽，地理坐标为东经126°14′05″～126°18′45″，北纬46°59′09″～46°58′07″；位于松嫩平原，望奎县的西北部。

黑龙江望奎西洼荒湿地自然保护区共有野生植物412种，隶属于69科191属。蕨类植物3科3属5种；种子植物66科188属407种，其中双子叶植物48科138属295种，单子叶植物18科50属112种。

脊椎动物31目56科248种。其中，鱼类4目8科9种，鸟类16目28科165种，哺乳类6目11科30种。

在国家重点保护野生动物中，湿地鸟类23种，其中国家Ⅰ级保护鸟类1种，国家Ⅱ级保护鸟类22种。

于2004年建立省级自然保护区，主管部门是黑龙江省林业厅，管理机构是黑龙江望奎西洼荒湿地自然保护区管理局。

主要受到人为活动轻度威胁。

### 40. 黑龙江小北湖自然保护区重点调查湿地

黑龙江小北湖自然保护区重点调查湿地范围面积3.95万公顷，湿地面积为0.49万公顷，主要湿地类型为草本沼泽湿地，地理坐标为东经128°27′14″～128°49′32″，北纬44°07′08″～44°20′26″；位于牡丹江市北部宁安市小北湖林场境内。

黑龙江小北湖自然保护区共有高等植物677种，其中藓类植物74种，蕨类植物57种，裸子植物6种，被子植物540种。

黑龙江小北湖自然保护区共有脊椎动物381种，圆口纲1纲2种、鱼纲52纲103种，两栖纲12纲16种，爬行纲12纲12种，鸟纲255纲361种，哺乳纲381纲581种。

于2006年建立省级自然保护区，主管部门是黑龙江省林业厅，管理机构是黑龙江小北湖湿地自然保护区管理局。

主要受到人为活动轻度威胁。

**41. 黑龙江黑鱼泡自然保护区重点调查湿地**

黑龙江黑鱼泡自然保护区重点调查湿地范围面积2.17万公顷，湿地面积为1.47万公顷，主要湿地类型为洪泛平原湿地，地理坐标为东经130°24′51″～130°57′38″，北纬46°57′55″～47°14′07″；位于汤原县东北部。

黑龙江黑鱼泡自然保护区有高等植物75科414种，其中苔藓植物12科30种；蕨类植物12科29种；被子植物51科355种。国家Ⅱ级保护植物有浮叶慈姑、野大豆。

脊椎动物中，鱼类6目12科37种，两栖类2目4科5种，爬行类3目4科9种，鸟类16目38科196种，哺乳类6目12科41种。

于2007年建立省级自然保护区，主管部门是黑龙江省林业厅，管理机构是黑龙江黑鱼泡湿地自然保护区管理局。

主要受到人为活动轻度威胁。

**42. 黑龙江呼兰河口湿地自然保护区重点调查湿地**

黑龙江呼兰河口湿地自然保护区重点调查湿地范围面积2.02万公顷，湿地面积为1.75万公顷，主要湿地类型为永久性淡水河流湿地，地理坐标为东经126°38′29″～127°14′22″，北纬45°05′04″～45°51′48″；位于黑龙江省哈尔滨市呼兰区松花江北岸，东接巴彦县，南隔松花江与宾县相望。

黑龙江呼兰河口湿地自然保护区主要植物为芦苇、小叶章。

黑龙江呼兰河口湿地自然保护区鱼类主要有鲤、鲫、蛇鮈、泥鳅、塘鳢、葛氏鲈塘鳢、鲫、花鳅、鲶等；两栖类有黑斑蛙、黑龙江林蛙、大蟾蜍、花背蟾蜍、东北雨蛙、黑斑蛙等；爬行类有中华鳖；鸟类主要有绿头鸭、斑嘴鸭、野鸡、猫头鹰、鸳鸯、草鹭、雉鸡、喜鹊、白眉鸭、灰雁、红嘴鸥等；兽类主要有狐狸、东方田鼠、黄鼠、大仓鼠、东北兔等。

于2008年建立省级自然保护区，主管部门是黑龙江省林业厅，管理机构是黑龙江呼兰河口湿地自然保护区管理局。

主要受到人为活动轻度威胁。

**43. 黑龙江桦川湿地自然保护区重点调查湿地**

黑龙江桦川湿地自然保护区重点调查湿地范围面积1.59万公顷，湿地面积为1.59万公顷，主要湿地类型为草本沼泽湿地，地理坐标为东经130°35′2″～131°28′17″，北纬46°59′52″～47°13′41″；位于桦川县东北部，松花江下游南岸，东与富锦市接壤，北部与汤原县、萝北县、绥滨县隔江相望，南部与桦川县的悦来镇、新城镇、梨丰乡、东河乡及江川农场相连。

黑龙江桦川湿地自然保护区高等植物65科365种，其中苔藓植物12科30种；蕨类植物12科29种；被子植物51科306种。国家Ⅱ级保护植物有浮叶慈姑、野大豆2种。

黑龙江桦川湿地自然保护区鱼类有鲤、鲫、蛇鮈、泥鳅、塘鳢、葛氏鲈、鲫、花鳅、鲶等；两栖类有黑斑蛙及黑龙江林蛙；爬行类有鳖；鸟类主要有灰雁、绿头鸭、绿翅鸭、白眉鸭、凤头䴙䴘、凤头潜鸭、骨顶鸡等；兽类有6目12科20属25种，啮齿目(9种)、食肉目(6种)、食虫目(4种)、翼手目(2种)、偶蹄目(2种)和兔形目(2种)。

于2004年建立省级自然保护区，主管部门是黑龙江省林业厅，管理机构是黑龙江桦川湿地自然保护区管理局。

主要受到人为活动轻度威胁。

### 44. 黑龙江佳木斯沿江湿地自然保护区重点调查湿地

黑龙江佳木斯沿江湿地自然保护区重点调查湿地范围面积1.06万公顷，湿地面积为1.06万公顷，主要湿地类型为永久性河流湿地，地理坐标为东经129°54′36″~130°35′27″，北纬46°37′35″~47°02′52″；位于黑龙江省三江平原西部，佳木斯市境内，松花江下游北岸。北部与佳郊的莲江口镇、平安乡相连，南与佳木斯市区和沿江乡、松江乡、建国乡和长青乡隔江相望，东部与桦川县接壤，西与依兰相连。

黑龙江佳木斯沿江湿地自然保护区有高等植物65科365种，其中苔藓植物12科30种；蕨类植物12科29种；被子植物51科306种。国家Ⅱ级保护植物有浮叶慈姑、野大豆。

鱼类有鲤、鲫、蛇鮈、泥鳅、塘鳢、葛氏鲈塘鳢、鲫、花鳅、鲶等；两栖类有花背蟾蜍、黑龙江林蛙、中华大蟾蜍、无斑雨蛙及黑斑蛙；爬行类有龙江草蜥、白条锦蛇和灰链游蛇。鸟类有灰雁、绿头鸭、绿翅鸭、白眉鸭、凤头鸊鷉、凤头潜鸭、骨顶鸡等。兽类有6目12科20属25种，以啮齿目(9种)和食肉目(6种)为主，其次为食虫目(4种)、翼手目(2种)、偶蹄目(2种)和兔形目(2种)。

于2007年建立省级自然保护区，主管部门是黑龙江省林业厅。管理机构是佳木斯沿江湿地自然保护区管理局。

主要受到人为活动轻度威胁。

### 45. 黑龙江细鳞河自然保护区重点调查湿地

黑龙江细鳞河自然保护区重点调查湿地范围面积2.08万公顷，湿地面积为0.33万公顷，主要湿地类型为草本沼泽湿地，地理坐标为东经130°03′26″~130°24′05″，北纬47°26′58″~47°37′37″；位于鹤岗市境内。

黑龙江细鳞河自然保护区有高等植物363种，分属63科。代表性科有菊科、莎草科、禾本科、十字花科、豆科、玄参科等。

黑龙江细鳞河自然保护区鸟类有花尾榛鸡、大白鹭、榛鸡等；兽类有黑熊、东北兔、赤狐等；鱼类有鲢鱼、鲶鱼等。

于2004年建立省级自然保护区，主管部门是林业厅。管理机构是黑龙江细鳞河湿地自然保护区管理局。

主要受到人为活动轻度威胁。

### 46. 黑龙江水莲自然保护区重点调查湿地

黑龙江水莲自然保护区重点调查湿地范围面积 0.84 万公顷，湿地面积为 0.60 万公顷，主要湿地类型为草本沼泽湿地，地理坐标为东经 130°52′12″～131°03′37″，北纬 47°39′20″～47°20′47″；位于萝北县宝泉岭农场内。

黑龙江水莲自然保护区主要植物有修氏薹草、小叶章、芦苇等。

黑龙江水莲自然保护区鸟类有绿头鸭、大白鹭、银鸥等；兽类有黄鼬、狐狸等；鱼类有东北林蛙、鲢鱼、鲶鱼等。

于 2003 年建立省级自然保护区，主管部门是环保厅。管理机构是萝北县水莲湿地自然保护区管理局。

主要受到人为活动轻度威胁。

### 47. 黑龙江嘟噜河自然保护区重点调查湿地

黑龙江嘟噜河自然保护区重点调查湿地范围面积 1.58 万公顷，湿地面积为 1.10 万公顷，主要湿地类型为草本沼泽湿地，地理坐标为东经 130°52′3″～131°08′36″，北纬 47°19′13″～47°11′；位于萝北县境内，团结镇、农垦军川农场和普阳农场内。

黑龙江嘟噜河自然保护区主要植物有修氏薹草、小叶章、芦苇。

黑龙江嘟噜河自然保护区鸟类有丹顶鹤、绿头鸭、大白鹭、东方白鹳等；兽类有狍子、狐狸等；鱼类有鲢鱼、鲶鱼、麦穗鱼、草鱼等。

于 2003 年建立省级自然保护区，主管部门是林业厅。管理机构是萝北县嘟噜河湿地自然保护区管理局。

主要受到人为活动轻度威胁。

### 48. 黑龙江公别拉河湿地自然保护区重点调查湿地

黑龙江公别拉河湿地自然保护区重点调查湿地范围面积 5.14 万公顷，湿地面积为 1.50 万公顷，主要湿地类型为沼泽化草甸湿地，地理坐标为东经 126°23′～126°50′，北纬 49°59′～50°14′；位于爱辉区罕达汽镇境内。

黑龙江公别拉河湿地自然保护区野生植物有修氏薹草、乌拉薹草、小叶章、马先蒿、白花地榆、剪秋罗、齿叶沙参、二岐银莲花、直穗薹草、驴蹄草、泽芹、大野苏子等。

黑龙江公别拉河湿地自然保护区鱼类有 7 目 11 科 35 种，两栖类 2 目 4 科 6 种，爬行类 2 目 3 科 6 种，鸟类 15 目 40 科 158 种，兽类 6 目 15 科 43 种。

于 2005 年建立省级自然保护区，主管部门是黑龙江省林业厅。管理机构是黑龙江公别拉河湿地自然保护区管理局。

主要受到人为活动轻度威胁。

**49. 黑龙江美人湖自然保护区(拟建)重点调查湿地**

黑龙江美人湖自然保护区重点调查湿地范围面积1.11万公顷，湿地面积为0.16万公顷，主要湿地类型为森林沼泽湿地，地理坐标为东经130°55′17″~131°07′26″，北纬46°31′32″~46°39′27″；位于黑龙江省双鸭山市西部岭东区境内，西北部与集贤县相连，西南部与桦南县相接。

黑龙江美人湖湿地有维管束植物87科254属521种，其中蕨类植物11科28种，种子植物493种(裸子植物6种，被子植物487种)。

黑龙江美人湖湿地有动物6纲32目72科164属289种。其中鱼类4目8科32属39种，两栖类2目3科5属8种，爬行类2目3科5属6种，鸟类17目41科94属203种，兽类6目16科27属33种。

于2009年建立省级自然保护区，主管部门是黑龙江省林业厅。管理机构是双鸭山市湿地管理局。

主要受到人为活动轻度威胁。

**50. 黑龙江新青白头鹤湿地自然保护区重点调查湿地**

黑龙江新青白头鹤湿地自然保护区重点调查湿地范围面积7.64万公顷，湿地面积为1.46万公顷，主要湿地类型为河流湿地和沼泽湿地，地理坐标为东经129°58′29″~130°23′07″，北纬48°19′21″~48°40′20″；位于黑龙江省伊春市新青区境内，地处小兴安岭北侧东坡。

黑龙江新青白头鹤湿地自然保护区木本植物优势科主要有杨柳科、蔷薇科、桦木科、忍冬科、松科以及槭树科，其中松科、桦木科、杨柳科树种构成了森林群落的主林层，而以蔷薇科、忍冬科、虎耳草科和榛属(桦木科)构成下木层的主要成分，以菊科、蔷薇科、毛茛科、禾本科、莎草科以及豆科等科的草本植物，构成了保护区的优势草本植被。

黑龙江新青白头鹤湿地自然保护区有脊椎动物35目81科331种。其中，鱼类7目13科39种，两栖类2目4科8种，爬行类2目3科10种，鸟类18目46科223种，哺乳类6目15科51种。

主管部门是森工总局。管理机构是黑龙江新青白头鹤湿地自然保护区管理局。

主要受到人为活动轻度威胁。

**51. 黑龙江翠北自然保护区重点调查湿地**

黑龙江翠北自然保护区重点调查湿地范围面积2.80万公顷，湿地面积为2.77万公顷，主要湿地类型为永久性河流湿地，地理坐标为东经128°27′00″~128°50′18″，北纬48°22′38″~48°30′30″；位于黑龙江省伊春市五营林业局西北部，地处小兴安岭腹部北坡、库尔滨河上游。

黑龙江翠北自然保护区在植物区系构成上属长白植物区系，混有东西伯利亚植物区系、华北植物区系和蒙古植物区系。植物优势科主要有松科、忍冬科、杨柳科、桦木科、槭树科、毛茛科、蔷薇科、豆科、伞形科、禾本科、莎草科。其中松科、桦木科、杨柳科、槭树科树种构成森林群落的主体，而蔷薇科、忍冬科、榛属构成下木层的主要成分，毛茛科、豆科、伞形科、禾本科、莎草科构成该区的优势草本植物。翠北保护区内地势起伏小，各种植被类型垂直分布现象不明显，湿地生态系统与森林生态系统呈镶嵌分布，水平分布有下列类型：森林、灌丛、草甸、沼泽和泡沼。

黑龙江翠北自然保护区有脊椎动物250种。其中，鱼类5目9科31种，两栖类2目5科8种，爬行类3目4科9种，鸟类7目42科165种，哺乳类6目15科37种。

国家重点保护野生动物40种。其中国家Ⅰ级保护野生动物7种，国家Ⅱ级保护野生动物33种。在国家重点保护野生动物中，湿地鸟类30种，其中国家Ⅰ级保护鸟类5种，国家Ⅱ级保护鸟类25种。

主管部门是森工总局。管理机构是黑龙江翠北湿地自然保护区管理局。

主要受到人为活动轻度威胁。

### 52. 黑龙江库尔滨河湿地自然保护区重点调查湿地

黑龙江库尔滨河湿地自然保护区重点调查湿地范围面积6.89万公顷，湿地面积为6.70万公顷，主要湿地类型为永久性河流湿地，地理坐标为东经128°24′06″～128°56′30″，北纬48°27′50″～48°43′28″；位于黑龙江省逊克县境内。

黑龙江库尔滨河湿地自然保护区内有植物137科614种，其中苔藓植物47科145种，占全区植物的70.7%。国家重点保护植物以木本植物为主，主要有钻天柳、胡桃楸、黄檗、红松、水曲柳、刺五加6种珍贵植物。

黑龙江库尔滨河湿地自然保护区内有鱼类7科39种，两栖类动物4科9种，爬行类动物4科9种，鸟类有42科210种，兽类有15科44种。其中国家Ⅰ级保护动物有中华秋沙鸭、白头鹤、东方白鹳、丹顶鹤、金雕、玉带海雕、黑嘴松鸡、原麝、紫貂9种，国家Ⅱ级保护动物主要有白枕鹤、白琵鹭、黑琴鸡、花尾榛鸡、苍鹰、松雀鹰、红隼、红脚隼、黑熊、棕熊、马鹿、驼鹿、猞猁等38种。

主管部门是森工总局。管理机构为黑龙江库尔滨河湿地自然保护区管理局。

主要受到人为活动轻度威胁。

### 53. 黑龙江友好湿地自然保护区重点调查湿地

黑龙江友好湿地自然保护区重点调查湿地范围面积1.34万公顷，湿地面积为1.34万公顷，主要湿地类型为森林沼泽湿地，地理坐标为东经128°10′15″～128°33′25″，北纬48°13′07″～48°33′15″；位于黑龙江省伊春市友好区境内，横跨小兴安岭南北两坡。

黑龙江友好湿地自然保护区内共有植物836种，其中苔藓植物56科183种，蕨类植物14科41种，种子植物89科612种。种类多、分布广的优势植物主要有菊科、蔷薇科、毛茛科、杨柳科、豆科、莎草科以及禾本科等。

黑龙江友好湿地自然保护区共有脊椎动物33目80科330种。其中，鱼类5目11科43种，两栖类2目4科9种，爬行类3目4科10种，鸟类17目44科221种，哺乳类6目16科47种。

国家重点保护野生动物42种。其中国家Ⅰ级保护野生动物6种，国家Ⅱ级保护野生动物36种。在国家重点保护野生动物中，湿地鸟类33种，其中国家Ⅰ级保护鸟类4种，国家Ⅱ级保护鸟类29种。

于2004年建立省级自然保护区，主管部门是森工总局。管理机构是黑龙江友好湿地自然保护区管理局。

主要受到人类生产活动轻度威胁。

### 54. 黑龙江南北河湿地自然保护区重点调查湿地

黑龙江南北河湿地自然保护区重点调查湿地范围面积14.36万公顷，湿地面积为14.36万公顷，主要湿地类型为草本沼泽湿地，地理坐标为东经127°54′00″～127°10′30″，北纬47°46′35″～48°25′50″；位于我国东北部小兴安岭山脉北缘南支脉布伦山系缓坡地带、嫩江水系上游的南北河两岸，位于国有重点林区通北林业局经营区腹地。

黑龙江南北河湿地自然保护区植被多样、物种丰富、区域面积较大，自然植被子类型可以分为5个类型：沼泽植被、森林植被、灌丛植被、水生植被、草甸植被。保护区共有地衣植物5科17种，高等植物137科657种，其中：苔藓植物30科60种，蕨类植物8科24种，裸子植物1科7种，被子植物98科567种。

黑龙江南北河湿地自然保护区共有兽类6目14科46种，其中食肉目13种，啮齿目14种，食虫目6种、翼手目6种、偶蹄目4种，兔形目3种。保护区有鸟类176种。其中雀形目95种，非雀形目81种。夏候鸟105种，旅鸟23种，冬候鸟10种，留鸟10种。保护区共有两栖类动物7种，隶属于2目4科；有爬行动物4种，隶属于2目3科；主要鱼类有17种，隶属于8个科。

于2002年建立省级自然保护区，主管部门是森工总局。管理机构是黑龙江南北河湿地自然保护区管理局。

主要受到人类生产活动轻度威胁。

### 55. 黑龙江努敏河湿地自然保护区重点调查湿地

黑龙江努敏河湿地自然保护区重点调查湿地范围面积1.12万公顷，湿地面积为1.12万公顷，主要湿地类型为草本沼泽湿地，地理坐标为东经127°42′37″～127°50′36″，北纬47°56′45″～48°06′00″；位于黑龙江省绥棱县内。

黑龙江努敏河湿地自然保护区属泛北极植物区，湿地自然保护区内共有植物618种，其中苔藓植物6科15种，蕨类植物12科23种，裸子植物1科6种，被子植物90科574种。种类多、分布广的优势植物主要有菊科、蔷薇科、毛茛科、杨柳科以及禾本科等。

脊椎动物中，鱼类7科31种，两栖类4科9种，爬行类4科9种，鸟类41科205种，哺乳类14科41种。国家重点保护野生动物34种。其中国家Ⅰ级保护野生动物3种，国家Ⅱ级保护野生动物31种。

于2004年建立省级自然保护区，主管部门为森工总局。管理机构为黑龙江努敏河湿地自然保护区管理局。

主要受到人类生产活动轻度威胁。

### 56. 黑龙江岭峰自然保护区重点调查湿地

黑龙江岭峰自然保护区重点调查湿地范围面积6.84万公顷，湿地面积为1.04万公顷，主要湿地类型为森林沼泽湿地。地理坐标为东经 122°39′12.9″～123°08′05″，北纬 52°14′58.4″～52°31′03.1″；位于阿木尔林业局境内。

黑龙江岭峰自然保护区共有植物 847 种，隶属于 142 科 390 属。其中，地衣植物 7 科 11 属 59 种，苔藓植物 43 科 81 属 158 种，蕨类植物 16 科 23 属 45 种，裸子植物 2 科 5 属 8 种，被子植物 74 科 270 属 577 种。国家保护植物有岩高兰、野大豆、钻天柳、黄耆、樟子松和草苁蓉 6 种。主要树种有樟子松、落叶松、白桦、山杨、岳桦、甜杨、东北赤杨、兴安柳等。

陆生野生动物有 219 种，其中兽类 41 种，保护动物有紫貂、貂熊、棕熊、水獭、猞猁、原麝、马鹿、驼鹿和雪兔 9 种；鸟类 171 种，分别隶属于 13 目 36 科，约占全国鸟类种数的 13.79%；两栖类动物 4 种，约占黑龙江省已知两栖类的 36.4%，其中，有尾目 1 种，无尾目 3 种；爬行动物 3 种，占黑龙江省已知 16 种爬行动物的 18.8%；鱼类 29 种，圆口纲 1 种。

主管部门是大兴安岭林业集团公司。管理机构是黑龙江岭峰自然保护区管理局。

主要受到人为活动轻微威胁。

### 57. 黑龙江盘中自然保护区重点调查湿地

黑龙江盘中自然保护区重点调查湿地范围面积 1.16 万公顷，湿地面积为 1.16 万公顷，主要湿地类型为森林沼泽湿地。地理坐标为东经 123°33′30.4″～124°09′07.1″，北纬 52°44′58.8″～52°56′41.2″；位于塔河林业局境内。

黑龙江盘中自然保护区植物主要有兴安落叶松、白桦、赤杨、杜鹃、绣线菊、越橘、杜香、薹草、小叶章、大叶章、黑三棱等几百种。

黑龙江盘中自然保护区主要野生动物有狍、野猪、水獭、松鼠、花尾榛鸡、马鹿、狍、雪兔、黄鼬、野猪、草兔等种类。

主管部门是大兴安岭林业集团公司。管理机构是黑龙江盘中自然保护区管理局。

主要受到人为活动轻微威胁。

### 58. 黑龙江北极村自然保护区重点调查湿地

黑龙江北极村自然保护区重点调查湿地范围面积 14.02 万公顷，湿地面积为 1.52 万公顷，主要湿地类型为森林沼泽湿地。地理坐标为东经 121°40′07.8″～123°16′07.7″，北纬 53°11′35″～53°27′19″；位于大兴安岭东部林区最北部。

黑龙江北极村自然保护区野生植物 800 余种，隶属 23 目 41 科 99 属，主要树种有樟子松、落叶松、白桦和山杨等；灌木植物主要有兴安杜鹃、柳叶绣线菊、珍珠梅、金老梅、水冬瓜、赤杨、五蕊柳、笃斯越橘、蓝靛果忍冬、稠李七、山荆子等；草本植物主要有大叶章、小叶章、薹草、莎草、毛百合、野罂粟、草苁蓉、东方草梅、委陵菜、白头翁、悬钩子等。

黑龙江北极村自然保护区野生动物有鱼类、鸟类和兽类，其中鱼类有大马哈鱼、细鳞鱼、哲罗鱼、鳇鱼等 57 种，隶属 17 科；鸟类有花尾榛鸡、黑嘴松鸡、绿头鸭、大杜鹃、大斑啄木鸟、太平鸟、金雕、长耳鸮等 237 种；兽类有棕熊、驼鹿、野猪、狍、原麝、紫貂、雪兔、赤狐、猞猁、松鼠等 56 种，隶属 6 目 16 科。

主管部门是大兴安岭林业集团公司，管理机构是黑龙江北极村自然保护区管理局。

主要受到人为活动轻微威胁。

### 59. 黑龙江绰纳河自然保护区重点调查湿地

黑龙江绰纳河自然保护区重点调查湿地范围面积1.46万公顷，湿地面积为1.46万公顷，主要湿地类型为草本沼泽湿地。地理坐标为东经125°47′17.9″~126°18′41.4″，北纬51°43′08.8″~51°19′36.6″；位于伊勒呼里山余脉东北部，韩家园林业局境内。

黑龙江绰纳河自然保护区野生植物主要有兴安落叶松、白桦、甜杨、沼柳、蒿柳、东北赤杨、水冬瓜、赤杨、水蓼、芍药、乌头、东北茶藨子、委陵菜、石生悬钩子、白花地榆、小叶章、莎草、薹草等几百种。

黑龙江绰纳河自然保护区鸟类隶属16目40科。其中有国家Ⅰ级保护鸟类5种，分别是黑嘴松鸡、东方白鹳、白头鹤、丹顶鹤、白鹤；国家Ⅱ级保护鸟类33种，以花尾榛鸡、黑琴鸡、鹰隼类比较常见。有兽类53种，隶属于6目14科，其中国家Ⅰ级保护野生动物有原麝、紫貂和貂熊3种，国家Ⅱ级保护野生动物有棕熊、水獭、雪兔、马鹿和驼鹿5种；两栖动物2目4科5种；爬行动物有2目3科6种；鱼类共有7目10科30余种。

主管部门是大兴安岭林业集团公司。管理机构是黑龙江绰纳河自然保护区管理局。

主要受到人为活动轻微威胁。

### 60. 黑龙江太阳岛湿地公园重点调查湿地

黑龙江太阳岛湿地公园重点调查湿地范围面积0.81万公顷，湿地面积为0.81万公顷，主要湿地类型为河流湿地。地理坐标为东经126°20′58″~126°34′56″，北纬45°43′49″~45°47′54″；位于哈尔滨市松花江北岸。

黑龙江太阳岛湿地植物有66科243属463种，其中蕨类植物2科2属2种，种子植物64科241种461种。

黑龙江太阳岛湿地鱼类有鲤、鲫、蛇鮈、泥鳅、塘鳢、葛氏鲈塘鳢、鲫、蛇鮈、花鳅、鲶等；两栖类有黑斑蛙及黑龙江林蛙、大蟾蜍、花背蟾蜍、东北雨蛙、黑斑蛙等；爬行类主要有中华鳖；鸟类主要有雉鸡、喜鹊、白眉鸭、灰雁、红嘴鸥等；兽类主要有东方田鼠、黄鼠、大仓鼠、东北兔等。

于2008年建立黑龙江太阳岛湿地公园，主管部门是黑龙江省林业厅，管理机构是哈尔滨市黑龙江太阳岛湿地公园。

主要受到人为活动轻度威胁。

### 61. 黑龙江白渔泡重点调查湿地

黑龙江白渔泡重点调查湿地范围面积0.03万公顷，湿地面积为0.03万公顷，主要湿地类型为沼泽湿地和人工湿地。地理坐标为东经126°52′25″~126°54′15″，北纬45°53′06″~45°54′36″；位于哈尔滨市东部，松花江南岸。

黑龙江白渔泡重点调查湿地主要植物种类为芦苇、小叶章。

黑龙江白渔泡重点调查湿地主要鱼类有鲤、鲫、蛇鮈、泥鳅、塘鳢、葛氏鲈塘鳢、花鳅、鲶；两栖类有黑斑蛙、黑龙江林蛙、大蟾蜍、花背蟾蜍、东北雨蛙、黑斑蛙等；爬行类有中华鳖；鸟类主要有绿头鸭、斑嘴鸭、野鸡、猫头鹰、鸳鸯、草鹭、雉鸡、喜鹊、白眉鸭、灰雁、红嘴鸥等；兽类主要种类有狐狸、黄鼬、东方田鼠、黄鼠、大仓鼠、东北兔等。

2008年国家林业局批准建立为国家湿地公园，2009年8月25日国家水利部批准为国家水利风景区。主管部门是黑龙江省林业厅，管理机构是哈尔滨市黑龙江白渔泡湿地公园。

主要受到人为活动轻度威胁。

### 62. 黑龙江新青国家湿地公园重点调查湿地

黑龙江新青国家湿地公园重点调查湿地范围面积0.45万公顷，湿地面积为0.26万公顷，主要湿地类型为河流湿地和沼泽湿地。地理坐标为东经129°31′59″~129°36′41″，北纬48°11′46″~48°20′45″；位于黑龙江省伊春市新青林业局所属的松林林场和红林经营所施业区内，行政区归属伊春市新青区。

黑龙江新青国家湿地公园在植物区系构成上属长白植物区系。湿地公园的植被可以分为森林、灌丛、草甸、沼泽及草塘(水生植被)等5大类型，湿地公园地处小兴安岭主脉东侧的低山丘陵区，由于地势起伏较小，各种植被类型呈现出一定的水平分布规律，垂直分布现象不明显。它们通常以草塘为中心，按草塘→沼泽→草甸→灌丛→森林的顺序，以水为主导因子，随地形的缓慢起伏而呈镶嵌式分布。湿地占总面积的86.56%，森林、灌丛只占很小的比例。

黑龙江新青国家湿地公园内生存的脊椎动物有35目77科312种。其中鱼类共有7目13科39种；两栖类共有2目4科8种；爬行类共有2目3科10种；鸟类18目46科223种，其中国家Ⅰ级保护鸟类4种，国家Ⅱ级保护鸟类15种；兽类6目11科32种，其中国家Ⅰ级保护兽类1种，国家Ⅱ级保护兽类有4种。

主管部门是森工总局。管理机构是黑龙江新青国家湿地公园管理局。

主要受到人为活动轻微威胁。

### 63. 汤旺河流域重点调查湿地

汤旺河流域重点调查湿地范围面积16.85万公顷，湿地面积为16.85万公顷，主要湿地类型为沼泽化草甸和森林沼泽。地理坐标为东经128°07′24″~129°54′36″，北纬46°36′15″~48°44′47″；

位于伊春市。

汤旺河流域在植物区划上属泛北极植物区，中国—日本森林植物区、长白植物亚区，小兴安岭北部区。植物区系组成较为丰富，共有植物885种，占黑龙江省植物种类的36.88%。其中苔藓植物49科197种，占22.3%；蕨类植物11科38种，占4.3%；种子植物88科650种，占73.4%。

汤旺河流域生存的脊椎动物有340种。其中鱼类共有11科38种；两栖类共有2目5科9种；爬行类共有2目3科10种；鸟类233种，其中国家Ⅰ级保护鸟类6种，国家Ⅱ级保护鸟类35种；兽类6目16科50种，其中国家Ⅰ级保护兽类只有紫貂和原麝2种，国家Ⅱ级保护兽类有8种；昆虫8目265种；土壤动物16目36科59种。另外，汤旺河流域拥有CITES附录Ⅰ中的6种，附录Ⅱ中的6种；《中日候鸟保护协定》中的鸟类165种。

主管部门为森工总局。管理机构为汤旺河流域湿地所属各林业局资源科。

主要受到人为活动中度威胁。

### 64. 龙河重点调查湿地

龙河重点调查湿地范围面积4.46万公顷，湿地面积为4.46万公顷，主要湿地类型为灌丛湿和森林湿地。地理坐标为东经123°17′09.1″~124°05′42.4″，北纬52°48′38.5″~53°28′52.3″；位于阿木尔林业局境内，处在额木尔河的下游，额木尔河在此处直接进入黑龙江。

龙河重点调查湿地主要植物有兴安落叶松、白桦、杜鹃、绣线菊、柴桦、东北赤杨、薹草、小叶章、兴安野青茅、沼旱熟禾、莎草、水木贼、酸模、水葡萄、茶藨子、地榆、花葱等上百种。

龙河重点调查湿地主要动物有狍、棕熊、水獭、东北兔、雪兔、松鼠、棕背鼠平、驼鹿等。

主管部门是大兴安岭林业集团公司。管理机构是阿木尔林业局。

主要受到人为活动轻微威胁。

### 65. 古莲河重点调查湿地

古莲河重点调查湿地范围面积2.96万公顷，湿地面积为2.96万公顷，主要湿地类型为森林沼泽湿地。地理坐标为东经121°27′37.8″~122°18′15.3″，北纬52°41′25.5″~53°06′34.3″；位于西林吉林业局境内。

古莲河重点调查湿地主要植物有兴安落叶松、白桦、云杉、岳桦、赤杨、丛桦、绣线菊、大叶章、小叶章、毛果薹草等，主要植物群落为落叶松、白桦、小叶章群落。

古莲河重点调查湿地主要动物种类有狍、棕熊、马鹿、驼鹿、雪兔、黄鼬、野猪、松鼠、金雕、花尾榛鸡等几十种。

主管部门是大兴安岭林业集团公司。管理机构是西林吉林业局资源管理部门。

主要受到煤矿开采的人为活动中度威胁。

**66. 大凌河重点调查湿地**

大凌河重点调查湿地范围面积3.44万公顷，湿地面积为3.44万公顷，主要湿地类型为森林湿地。地理坐标为东经121°50′02.2″~122°30′00.6″，北纬52°28′02″~53°00′38.8″；属于黑龙江干流湿地区，位于西林吉林业局境内。

大凌河重点调查湿地植物有兴安落叶松、白桦、东北赤杨、杜鹃、绣线菊、小叶章、大叶章、毛果薹草、黑三棱等几百种。湿地属于森林、灌丛湿地类型。

大凌河重点调查湿地内主要动物有棕熊、水獭、马鹿、驼鹿、狍、黄鼬、普通秋沙鸭、黑龙江林蛙和雪兔等几十种之多。

主管部门是大兴安岭林业集团公司。管理机构是西林吉林业局资源管理部门。

主要受到人为活动轻微威胁。

**67. 额木尔河上游重点调查湿地**

额木尔河上游重点调查湿地范围面积10.88万公顷，湿地面积为10.88万公顷，主要湿地类型为灌丛湿地和森林湿地。地理坐标为东经122°23′34.4″~123°31′46.4″，北纬52°19′35″~53°02′09.9″；位于阿木尔林业局境内。

额木尔河上游重点调查湿地主要植物有兴安落叶松、白桦、杜鹃、赤杨、丛桦、绣线菊、大叶章、小叶章、悬钩子、泥炭藓、大金发藓等。主要植物群落以落叶松—泥炭藓、落叶松—薹草、白桦—薹草、丛桦灌丛等群落为主。

额木尔河上游重点调查湿地主要动物有兽类有棕熊、驼鹿、马鹿、野猪、狍、原麝、紫貂、雪兔、赤狐、猞猁、松鼠、黑嘴松鸡、绿头鸭、大斑啄木鸟、金雕、黑龙江林蛙等。

主管部门是大兴安岭林业集团公司。管理机构是阿木尔林业局。

主要受到人为活动轻微威胁。

**68. 大西尔根气河重点调查湿地**

大西尔根气河重点调查湿地范围面积4.07万公顷，湿地面积为4.07万公顷，主要湿地类型为灌丛湿地和森林沼泽湿地。地理坐标为东经124°13′39.8″~124°58′02.5″，北纬52°33′00.9″~53°05′25.7″；位于塔河林业局境内。

大西尔根气河重点调查湿地主要植物有兴安落叶松、白桦、赤杨、杜鹃、绣线菊、越橘、杜香、薹草、小叶章、大叶章、黑三棱等几百种。

大西尔根气河重点调查湿地主要动物种类有马鹿、驼鹿、棕熊、狍、雪兔、黄鼬、野猪、草兔、水獭等。

主管部门是大兴安岭林业集团公司。管理机构是塔河林业局资源管理部门。

主要受到人为活动轻微威胁。

**69. 小西尔根气河上游重点调查湿地**

小西尔根气河上游重点调查湿地范围面积1.54万公顷，湿地面积为1.54万公顷，主要湿地类型为灌丛沼泽湿地和森林湿地。地理坐标为东经124°51′32.2″~125°27′59.6″，北纬52°37′51.5″~

52°56′48.5″；位于十八站林业局小根河林场境内。

小西尔根气河上游重点调查湿地主要植物有兴安落叶松、白桦、赤杨、杜鹃、绣线菊、越橘、杜香、薹草、小叶章、大叶章、黑三棱等百余种。

小西尔根气河上游重点调查湿地主要动物有马鹿、狍、雪兔、黄鼬、野猪、松鼠、草兔、花尾榛鸡等。

主管部门是大兴安岭林业集团公司。管理机构是十八站林业局。

主要受到小根河林场经营的人为活动中度威胁。

### 70. 依沙溪河重点调查湿地

依沙溪河重点调查湿地范围面积3.47万公顷，湿地面积为3.47万公顷，主要湿地类型为草本沼泽湿地、灌丛湿地和森林湿地。地理坐标为东经124°40′17″～125°42′26″，北纬52°25′51.8″～52°43′53.7″；位于呼玛河湿地区十八站林业局境内。

依沙溪河重点调查湿地主要野生植物有兴安落叶松、白桦、沼柳、蒿柳、东北赤杨、水冬瓜、赤杨、水蓼、乌头、东北茶藨子、小叶章、莎草、薹草等上百种。

依沙溪河重点调查湿地主要野生动物有狍、野猪、黄鼬、雪兔、草兔、花尾榛鸡、罗纹鸭、黑龙江林蛙等几十种。

主管部门是大兴安岭林业集团公司。管理机构是十八站林业局资源管理部门。

主要受到人为活动轻微威胁。

### 71. 阿吉羊河重点调查湿地

阿吉羊河重点调查湿地范围面积1.28万公顷，湿地面积为1.28万公顷，主要湿地类型为森林沼泽湿地。地理坐标为东经123°47′42.7″～124°14′43.6″，北纬52°21′48.2″～52°39′11.2″；位于呼中林业局境内。

阿吉羊河重点调查湿地主要野生植物有兴安落叶松、白桦、泥炭藓、金发藓、曲尾藓、水木贼、越橘柳、沼柳、丛桦、薄叶驴蹄菜、水田碎米荠、茶藨子、柳叶绣线菊、沼生委陵菜、小叶章、薹草、莎草等几百种。

阿吉羊河重点调查湿地主要野生动物有狍、雪兔、黄鼬、赤麻鸭、鸳鸯、蚁鴷、花尾榛鸡等几十种到百余种。

主管部门是大兴安岭林业集团公司。管理机构是塔河林业局和呼中林业局的资源管理部门。

主要受到林木采伐利用的人为活动中度威胁。

### 72. 干部河重点调查湿地

干部河重点调查湿地范围面积1.25万公顷，湿地面积为1.25万公顷，主要湿地类型为红皮云杉—泥炭藓沼泽湿地。地理坐标为东经124°00′45.5″～124°44′37.1″，北纬51°53′01.3″～52°14′38.8″；位于新林林业局塔尔根林场西沟。

干部河重点调查湿地主要野生植物有红皮云杉、落叶松、泥炭藓、金发藓、曲尾藓、越橘柳、丛桦、茶藨子、柳叶绣线菊、小叶章、薹草、莎草等几百种。

干部河重点调查湿地主要野生动物有原麝、狍、野猪、花尾榛鸡、雪兔、东北兔、赤狐、黄鼬、松鼠等。

主管部门是大兴安岭林业集团公司。管理机构是新林林业局资源管理部门。

主要受到林场经营活动的人为活动轻度威胁。

### 73. 外倭勒根河重点调查湿地

外倭勒根河重点调查湿地范围面积 2.17 万公顷，湿地面积为 2.17 万公顷，主要湿地类型为森林沼泽湿地、草本沼泽湿地和灌丛沼泽湿地。地理坐标为东经 124°46′27.3″～125°23′22.1″，北纬51°43′29.3″～52°10′31.2″；位于新林林业局和韩家园林业局境内。

外倭勒根河重点调查湿地主要的野生植物有兴安落叶松、云杉、白桦、赤杨、杜鹃、蒿柳、沼柳、粉枝柳、大黄柳、伞繁缕、兴安茶藨子、鹅绒委陵菜、小叶独活、大叶章、小叶章等几百种。该湿地属于森林、草丛湿地类型，主要植被类型有绿薹—云杉林、泥炭藓—落叶松林、草类—白桦林、薹草—小叶章草甸等。

外倭勒根河重点调查湿地主要野生动物有狍、野猪、雪兔、鸳鸯、黑琴鸡、花尾榛鸡、罗纹鸭、苍鹰等数十种。

主管部门是大兴安岭林业集团公司。管理机构是韩家园林业局和新林林业局的资源管理部门。

主要受到成熟云杉和其它乔木林被采伐的人为活动轻度威胁。

### 74. 倭勒根河重点调查湿地

倭勒根河重点调查湿地范围面积 4.20 万公顷，湿地面积为 4.20 万公顷，主要湿地类型为草本沼泽湿地、灌丛沼泽湿地和森林湿地。地理坐标为东经 124°53′07.4″～126°15′20.9″，北纬51°36′25.6″～52°0.3′04.8″；位于新林林业局和韩家园林业局境内。

倭勒根河重点调查湿地主要植物有兴安落叶松、白桦、赤杨、蒿柳、沼柳、绣线菊、沼生委陵菜、小叶章、大叶章、修氏薹草、塔头棉花莎草、野葱、浮萍等上百种。

倭勒根河重点调查湿地主要动物有狍、野猪、雪兔、东北兔、赤狐、狼、黄鼬、松鼠等。

主管部门是大兴安岭林业集团公司。管理机构是韩家园林业局资源管理部门。

主要受到采沙金资源的人为活动中度威胁。

### 75. 塔河中游重点调查湿地

塔河中游重点调查湿地范围面积 5.52 万公顷，湿地面积为 5.52 万公顷，主要湿地类型为森林沼泽湿地。地理坐标为东经 123°48′00.6″～125°05′35.9″，北纬 51°19′29.6″～52°02′35.2″；位于新林林业局境内。

塔河中游重点调查湿地野生植物十分丰富，主要有兴安落叶松、红皮云杉、白桦、甜杨、沼柳、蒿柳、东北赤杨、毛蒿豆、水冬瓜、赤杨、水蓼、芍药、蔓乌头、东北茶藨子、小叶章、莎草、薹草等几百种。

塔河中游重点调查湿地主要野生动物有棕熊、狍、黄鼬、雪兔、草兔、松鼠、棕背鼯、马鹿、驼鹿等几十种。

主管部门是大兴安岭林业集团公司。管理机构是新林林业局资源管理部门。

主要受到采沙、采矿的人为活动轻微威胁。

### 76. 亚里河重点调查湿地

亚里河重点调查湿地范围面积1.88万公顷，湿地面积为1.88万公顷，主要湿地类型为森林沼泽湿地。地理坐标为东经123°10′59.9″~123°43′37.1″，北纬51°14′49.5″~51°35′47.1″；位于韩家园林业局境内。

亚里河重点调查湿地主要的野生植物有兴安落叶松、白桦、东北赤杨、丛桦、酸模、细叶乌头、水田碎米荠、甸杜等几百种。

亚里河重点调查湿地主要野生动物有狍、雪兔、棕熊、黄鼬、松鼠、马鹿、驼鹿、罗纹鸭、苍鹰、花尾榛鸡、乌林鸮、松鸦、大山雀、沼泽山雀等几百种。

主管部门是大兴安岭林业集团公司。管理机构是呼中林业局资源管理部门。

主要受到人为活动轻微威胁。

### 77. 古龙干河重点调查湿地

古龙干河重点调查湿地范围面积1.19万公顷，湿地面积为1.19万公顷，主要湿地类型为草本沼泽湿地。地理坐标为东经126°00′01.4″~126°29′26.6″，北纬51°16′34.7″~51°37′49.7″；位于呼中林业局境内。

古龙干河重点调查湿地主要野生植物有兴安落叶松、白桦、柴桦、水冬瓜、赤杨、卵叶桦、水蓼、大叶藜、繁缕、驴蹄草、毛茛、兴安茶藨子等几百种。

古龙干河重点调查湿地主要野生动物有狍、野猪、苍鹰、雀鹰、普通鵟、绿头鸭、白尾鹞、凤头麦鸡、松鸦、云雀等几百种。

主管部门是大兴安岭林业集团公司。管理机构是韩家园林业局资源管理部门。

主要受到人为活动轻微威胁。

### 78. 嫩江源头重点调查湿地

嫩江源头重点调查湿地范围面积5.82万公顷，湿地面积为5.82万公顷，主要湿地类型为草本沼泽湿地。地理坐标为东经125°20′12.9″~126°13′39.6″，北纬50°56′31.9″~51°37′32.3″；位于加格达奇、韩家园和呼玛县等三个林业局的交界处。

嫩江源头重点调查湿地主要野生植物有兴安落叶松、白桦、赤杨、杜鹃、紫椴、黄檗、蒿柳、粉枝柳、兴安繁缕、草乌头、驴蹄草、芍药、毛茛、桔梗等几百种。

嫩江源头重点调查湿地主要野生动物有狍、野猪、赤狐、雪兔、丹顶鹤、灰鹤、雀鹰、花尾榛鸡、雉鸡、沼泽山雀等几十种。

主管部门是大兴安岭行署和林业集团公司。管理机构是韩家园林业局和呼玛县林业局资源管理部门。

主要受到木材生产和农耕的人为活动中度威胁。

### 79. 加格达河重点调查湿地

加格达河重点调查湿地范围面积 1.14 万公顷，湿地面积为 1.14 万公顷，主要湿地类型为草本沼泽湿地。地理坐标为东经 126°02′53.1″~126°21′18.7″，北纬 50°56′47.8″~51°14′07.5″；位于韩家园林业局南部。

加格达河重点调查湿地主要野生植物有兴安落叶松、白桦、紫椴、黄檗、赤杨、薹草、库叶堇菜、费氏柳叶菜、柳叶芹、柴胡、红花鹿蹄草、笃斯越橘、野火球、小叶章等几百种。

加格达河重点调查湿地主要野生动物有野猪、狍、棕熊、马鹿、驼鹿、大天鹅、灰鹤、丹项鹤、绿头鸭、青头潜鸭、鸳鸯、凤头麦鸡、普通鵟、毛脚鵟、花尾榛鸡、大杜鹃、雪鸮等百余种。

主管部门是大兴安岭林业集团公司，管理机是构韩家园林业局资源管理部门。

主要受到农业生产和采金等人为活动中度威胁。

# 参考文献

[1]陈宜瑜．中国湿地研究[M]．长春：吉林科学技术出版社，1995.

[2]崔保山，等．湿地生态环境需水量研究[J]．环境科学学报，2002，22(2)：219～224.

[3]崔保山，杨志峰．湿地生态环境需水量等级划分与实例分析[J]．资源科学，2003，25(1)：21～29.

[4]邸志强，苗英，贾伟光，等．东北地区湿地及其保护[J]．地质与资源，2004，13 (4)：237～241.

[5]韩赠萃，尤爱菊，徐有成，等．强潮河口环境和生态需水及其计算方法[J]．水利学报，2006，37(4)：395～402.

[6]刘正茂，赵春辉，赵艳波．三江平原退耕还湿应遵循的理论与技术路线[J]．自然生态保护，2004 (1)：33～35.

[7]那守海，张杰，莽虹．三江平原湿地生态环境建设刍议[J]．东北林业大学学报，2004，32 (2)：78～80.

[8]任宪友．两湖平原湿地系统稳定性评价与生态恢复设计[D]．上海：华东师范大学，2004.

[9]吴长申．扎龙国家级自然保护区自然资源研究与管理[M]．哈尔滨：东北林业大学出版社，1999.

[10]项桂娥，王凯峰．升金湖湿地资源保护和可持续利用研究[J]．国土与自然资源研究，2005 (1)：40～41.

[11]杨志峰，崔保山，刘吕明，等．生态环境需水量理论、方法与实践[M]．北京：科学出版社，2003.

[12]于清，尹小康，徐长利，等．湿地资源调查报告[M]．哈尔滨：黑龙江省林业厅湿地资源第二次调查小组，2010.

[13]张向凌，赵洁新，开尚文．黑龙江省志第一卷总述[M]．哈尔滨：黑龙江人民出版社，1999.

[14]郑冬燕，夏军，黄友波．生态需水量估算问题的初步探讨[J]．水电能源科学，2002，20(3)：3～6.

[15]Gleick P. H. Water in crisis：path to sustainable water use. Ecological Application. 1996，8(3)，571～579.

[16]Pearsell W G，Mulamoottil G. Toward the integration of wetland functional boundaries into suburban landscapes [C]//Mulamoottil G，Warner B G，Mc Bean E A. Wetlands environmental gradients，boundaries and buffers. CRC Press，Inc，1996.

# 附　件

# 黑龙江湿地资源调查单位及人员

**调查单位**：黑龙江省林业监测规划院

**调查人员**：于大勇　尹小康　毛洪军　王　晶　叶生欣　叶　磊　刘守东　吕宜芳　张　冰　杨少连　卓毅夫　姜明兴　赵鲁安　徐长利　秦旭斌　索　涛　梁志强　彭志成　程子卿　滕鹏飞

**调查单位**：黑龙江省野生动物研究所

**调查人员**：于洪伟　马一滨　尹远新　王　帅　卢向东　田家龙　任梦非　刘　浩　吕忠海　孙红瑜　朱立夫　张明明　李　林　周绍春　金光耀　钟立成　葛东宁　靳玉文　翟学超　鞠　丹

**调查单位**：大兴安岭林业调查规划设计院

**调查人员**：于耀辉　王　强　王晓巍　刘华根　孙天洪　朱成日　牟忠云　初兴国　张　明　张天雄　张玉民　李洪文　杨　勇　杨春涛　陈柏利　娄延明　祝兴海　栾国军　桑运通　潘瑞生

# 后　记

湿地资源调查是查清湿地资源现状，准确掌握湿地资源动态变化，客观反映调查区域湿地类型、自然及社会经济条件，综合分析与评价湿地资源及经营管理现状，科学地提出湿地保护与利用意见而进行的资源性调查。其调查成果既是湿地认定及监测的基础，又是为湿地资源可持续利用，充分发挥湿地生态系统功能提供科学依据。黑龙江是湿地资源大省，湿地面积大、类型多、分布广、区域性差异显著，生物多样性丰富，适时地进行湿地资源调查尤为必要。

黑龙江省曾于2000年进行了首次湿地资源调查。湿地资源经过十年的保护利用，其数量、质量及生态系统功能发生了较大变化，原有的湿地资源数据已经不能客观的反映现状。2009年黑龙江省是国家林业局六省(市)湿地资源调查试点省份之一。为此，黑龙江省根据《国家林业局关于印发〈全国湿地资源调查技术规程(试行)〉的通知》(林湿发[2008]265号)《国家林业局湿地保护管理中心关于下发第二次全国湿地资源调查工作方案的通知》(林湿发[2009]4号)《黑龙江省湿地资源调查操作细则》等湿地调查相关文件精神进行全省湿地资源调查。本次湿地资源调查共分黑龙江省市县区、黑龙江省森工国有林区和大兴安岭东部林区3个副总体进行调查。调查工作分别由黑龙江省林业厅、黑龙江省森林工业总局和大兴安岭林业集团公司承担。

本次湿地资源调查，采用"3S"技术(即遥感技术RS、地理信息系统GIS和全球定位系统GPS的简称)与现地核查相结合的方法，按照《湿地公约》，第二次调查确定起调面积为8公顷(含8公顷)以上的湖泊湿地、沼泽湿地、人工湿地以及宽度10米以上、长度5公里以上的河流湿地，开展了湿地类型、面积、分布、植被和保护状况调查。调查工作自2009年6月中旬至2010年5月末结束。

本次湿地资源调查组织方式是黑龙江省3个调查总体分别成立了领导小组，下设办公室，聘请专家，组建调查队伍，明确技术支撑单位及其各自职责。各湿地调查单位均成立湿地调查领导组织，各级组织各负其责，使得调查组织、外业调查、人员配备、交通后勤等都得到强有力保障。

通过2009年第二次湿地调查，全省湿地总面积514.33万公顷(不含加格达奇和松岭区)，区划湿地区164个，湿地斑块12438个。其中，黑龙江省市县区湿地总面积314.56万公顷，区划湿地区118个，湿地斑块8058个；黑龙江省森工国有林区湿地总面积88.61万公顷，区划湿地区43个，区划湿地斑块1945个；大兴安岭东部林区湿地总面积111.17万公顷，区划湿地区3个，区划湿地斑块1985个。

《中国湿地资源·黑龙江卷》编写组

2014年11月